いいね！ボタンを押す前に

ジェンダーから見るネット空間とメディア

李美淑
小島慶子
治部れんげ
白河桃子
田中東子
浜田敬子
林香里
山本恵子

亜紀書房

いいね！ボタンを押す前に

目次

私たちは
デジタル原始人
――序論にかえて

小島慶子

小島慶子　こじま・けいこ

エッセイスト、東京大学大学院情報学環客員研究員。学習院大学法学部政治学科卒業後、95〜10年TBS勤務。99年第36回ギャラクシーDJパーソナリティ賞受賞。独立後は各メディア出演、講演、執筆活動を幅広く行う。ジェンダーや発達障害に関する著述や講演をはじめ、DE&Iをテーマにした発信を積極的に行なっている。2014年より家族はオーストラリア、自身は日本で暮らす。連載、著書多数。近著に対談集『おっさん社会が生きづらい』(PHP新書)。https://www.applecross.jp/
Twitter: account_kkojima Instagram: keiko_kojima

あなたはきっと、多少ＳＮＳに疲れているだろう。やめたいけどやめられない。何を信じていいかわからず、罵り合いや見栄の張り合いにうんざりして……。安心してほしい。みんなそうだ。だけどスマホのない世界には、もう戻れない。私たちは生きていくのだ。この最先端の技術が作る、原初の社会を。

インターネットが広く使われるようになってから、まだたったの30年ほど。現在主流のＳＮＳの誕生やスマホの普及からは20年も経っていない。私たちは今、デジタル人類史の旧石器時代を生きている。手のひらの中のその四角い物体は、はるか昔のご先祖様が握りしめていた石のかけらと同じだ。今、目の前で起きていることはとてつもなく新しいけれど、だからこそ未来の人々から見れば、私たちはとてつもなく未開である。あなたも私も、Ｚ世代もアルファ世代もこれから生まれてくる子どもたちも、人類史のスケールで見れば同時代人。画期的な技術の獲得によって新時代を切り拓いた、素朴な人々だ。

これまでに行われた植民地政策や、武器の開発の歴史を見てもわかるように、未知の場所に足を踏み入れたり新しい道具を手にしたりすると、人はいとも容易《たやす》く蛮性を剥き出しにする。歴史という巨人の肩から降りて、原野を好き放題に駆け回りたい欲望を、常に胸に潜ませているのだ。人類がデジタル空間という〝未開の地〟に足を踏み入れたばかりの現在は、まさにそんな状態。私たちは永遠に「デジタル原始人」として人類史に刻まれる運命にある。

未熟で、野蛮だった頃のヒトとして。

数百万年前、初めて石を加工して道具として使い始めたのは、きっとごく一部のぶっちぎりに賢い人たちだったはずだ。それを棒に括り付けて石斧にしたのも、おそらくとんでもない天才だろう。そして、そんな天才の知恵にあやかって道具を手にした凡庸な人たち、つまり人類の進歩に貢献する大発明とは無縁の、これまで地球上に生息した人類の総数の99・9999……%を占める「普通の人たち」が石斧の作り方と使い方を学習してめちゃくちゃ流行らせたから、人類は〝進化した〟。でも、人々がその最先端のハイテクアイテムで殴ったのは、獣だけではなかったはずだ。よかったー、石斧で殴り殴られる世界をサバイブしなくてもいい現代人で……。

そんなふうに、いつか私たちは子孫に哀れまれることだろう。高度に洗練されたデジタル社会で快適に生活しているであろう遠い子孫に。もしかしたらその人たちは私たちには想像もつかない未知の技術でスマートに殺し合いをしているかもしれないが、願わくは、殺し合いをしない方向に健やかな進化を遂げていてほしいものだ。それには道具を作るのとは違う能力に関連する遺伝子が、劇的に変異しないとならないかもしれないが。

ともあれ、あなたも私も、この欲望と粗暴さが渦巻く原始ネット社会で、凡庸な「普通の人たち」として一生を過ごすであろう事実を受け入れねばならない。果たして、そこに希望はあるのだろうか。テクノロジーは日進月歩で新しくなる。でも技術の新しさは、人間性の深化とイコールではない。先端技術は、必ずしもより温かみのある知的な世界を作り出すとは限らないからだ。

でも原始人たる私たちは、ある貴重な特権を手にしている。無秩序の中にある時こそ、新たな秩序を生み出すチャンスなのだ。実際、ネット空間という無法状態の新天地でユーザーを密かに支配し、巨額の利益をあげているプラットフォーム企業がまさにそうだろう。そんな巨大企業を前にしたら、一ユーザーなんてシロナガスクジラに呑み込まれるオキアミの腸内細菌のようなものだ。

けれど、ユーザーは無力ではない。SNSの炎上騒ぎやアルゴリズムのおせっかいに疲れたときには、声に出して自分に言って聞かせてあげよう。「私の態度や振る舞い方次第で、世界は変わるかもしれない」と。大事なので、もう一度。「私の態度や振る舞い方次第で、世界は変わるかもしれない」。食物連鎖を支えているのが微生物であるように、腸内フローラがヒトの脳に多大な影響を与えているように、強者たちの中枢ではないところに、世の中を動かす力が潜んでいる。

天才でも権力者でもない、凡庸で非力な人たち（つまり全人類の大部分）は、無自覚のうちに、豊かな世界を作る賢者にも、非道な殺戮を実行する悪人にもなり得る。自分の頭の中にある世界だけを見ているると、目の前に存在している温かな身体を持つ他者が、見えなくなってしまう。ヒトがモノに見えてしまう。それはスマホが登場するずっと前から起きていたことだ。それで何千万という命が失われてきた。

私たちは、頭の中に作り上げた世界から出て、予想外の出来事や想像したこともない物事に出会わなくてはならない。同じ空の下に、自分とはまるで違うことを考えて生きている人がたくさんいることを知って「こんなにバラバラでほとんど似ていない私たちが、それでもお互いに嫌な思いをせず、安全に生きていくにはどんな工夫が必要なのだろうか」と考える他に、野蛮人に戻らずに済む方法はないのだ。

たまたま割れた石片で指を切った人が、これで獣の肉を切れるのではないかと思い付いた時に道具の歴史が始まったのだとすれば、それで仲間の飢えを癒すことも、人を殺めることもできると知り、自分は石をどちらに使うかを選べるのだと気づいた瞬間が最も大きな節目だったのではないかと思う。私たちはまだ、その進歩と退行を繰り返している。どちらも選べるのなら、どちらを選ぶのか。

「誰もがメディア」の時代は何を変える？

私にはもうすぐ大学3年と高校3年になる息子がいる。世間でいうZ世代（概ね１９９０年代半ばから２０１０年代初頭ぐらいまでに生まれた世代を指す。デジタルネイティブと呼ばれる、幼少時からインターネットやデジタルデバイスに馴染みのある世代）だ。彼らはInstagramとTikTokでニュースを知り、私はTwitterとInstagramとデジタル版の新聞と、国内外のテレビの報道番組でニュースを見る。家族の誰も紙の新聞は読んでいない。私は日本で暮らし、息子たちと夫はオーストラリアで暮らしているので、家族のテキストのやりとりはＳＭＳを使っている。夫と私はWhatsAppも併用だ。朝と就寝前の挨拶や夕食時の団欒はFaceTimeをつなぐ。

私は友人たちとは主にMessengerとＬＩＮＥでやりとりし、仕事の告知や執筆した記事の拡散はTwitterを使っている（２０２２年末現在、イーロン・マスクによる買収がどう転ぶのかを醒めた目で眺めている）。Facebookには極めてそっけない投稿しかせず、他の人の投稿も見ない。長大な文章をまめに投稿する人の自意識に触れると非常に疲れるからだ。衣装のＰＲと個人的な気晴らしの投稿にはInstagramを使っている。

息子たちは不特定多数向けの発信はしておらず、限られた友人とSnapchatやInstagramでやりとりしているようだ。長男はBeRealという加工なしの写真を毎日一度投稿するアプリも使っているらしい。映え（もうパソコンのローマ字入力キーボードでbaeと入れると〝映え〟と変換されるようになった）を狙ったり画像を盛ったりせず、生活感に溢れた日常の一瞬を友人たちとシェアするアプリだ。息子たちは息抜きの動画も学習動画もYouTubeで見る。ドラマや映画はNetflixで見ている。現在57歳の夫も同様だ。と、ここまでの十数行を5年後に読んだら、きっとえらく古臭く感じるだろう。

今はスマホを手にした瞬間から、誰でも発信者になれる。メディアはかつて一部のプロフェッショナルたちによって独占されていたけれど、今やすっかり民主化された。有名人になるのも、昔よりも遙かに簡単だ。かつては映画俳優がスターと呼ばれ、それにとって代わってテレビ出演者がタレントと呼ばれるようになり、やがてアイドルは身近な存在になり、読者モデルがカリスマと呼ばれ、今やＳＮＳやYouTubeで多数のフォロワーを持つユーザーがインフルエンサーとして時代の寵児になっている。無名の個人が3カ月も経たないうちに世界中に数百万人のフォロワーを持つ有名人になることも全く珍しくない。

テレビのリアリティショーで人気の出演者や著名なアーティストがアカウントを作れば、１日も経たずに数千万という単位のフォロワーがつく。２０２１年のInstagramのフォロワー数トップ10は著名アーティストやアスリートのアカウントで、軒並み数億人のフォロワーがついている。自分が撮った画像や編集した動画をそれだけの人たちの目に触れさせることができるのだから、超大国の元首になったようなものだ。目は、脳の入り口である。「ものを見せることができる」というのは、他人の脳味噌にアクセスできる強大な権力を手にしているということなのだ。

俳優もモデルもシンガーソングライターも、エンタテインメント業界の目利きたちがかつてのように足で探して発掘して育てるのではなく、デジタルの原野に自生する人気者を我先に収穫するようになった。芸能事務所のサイトでは「所属タレントの総フォロワー数3000万！」などと謳っている。だがあくまでも個人がメディアであるという点で、かつてのように完全に管理され商品化された芸能人とは主導権の所在が異なると言えよう。日本では、それに気づいて旧来型の芸能事務所から独立する出演者が相次いでいる。

かつては、有名人とは誰もが知っている人を指したが、今はそうではない。デジタル世界で異なる層に生きていれば、違う宇宙に住んでいるようなもの。数百万人がフォローするセレブも、異なる宇宙の住人から見れば無名の人物だ。自分が知らないからと言って、その人が「有名人」ではないと断じてはならない。目の前の平凡な若者が、自分の数万倍の影響力を持っていることも十分にあり得る。

教えるのではなく、分かち合う

グローバル化で世界はつながったつながったと言われた。デジタル化でますますつながったと言われた。だけど私たちはどんどん分断されている。見たいものを見て、聞きたい話を聞いて、興味のないことには触れないようにして生きることができる時代だ。集落の掟に縛られる生活から脱して、移動の自由を手にした現代人は、デジタル世界の新たな村へのお引っ越しを果たしたとも言える。人は、つながる技術で誰とでもつながりたいのではない。より狭くより居心地の良い村を自分で選べる自由こそが、欲しかったのである。

その結果、何が起きたか。先述したように、先祖返りである。SNS空間は今や中世さながら。根拠のない噂話や中傷で人が死に追いやられ、出どころのわからない「本当の話」や、扇動が得意な人物の手前勝手な持論を信じた人々が、実際に人殺しや暴動を起こしている。2010年代後半から、英国のEU離脱やアメリカ大統領選挙など、世論の動きが大手メディアや専門家たちの予想を大きく裏切る出来事が続いた。エリートたちは「その人たち」に届くようなものの伝え方をせず、彼ら彼女らの声に耳を傾けなかった、と大いに反省したが、その反省自体がメディアの民主化の現実を認識できていないとも言えよう。メディア不信が言われて久しいが、プロたちが信頼回復のために為すべきことは、自己開示と、大衆の知性を信用することだ。考えるべきは、分断した社会を修復するためにマスメディアが大衆に何を伝えるべきかだけではない。すでに発信者となった市民たちに、必要な知識と技術をどのように分け与えるかだ。より安全で豊かな社会をつくることに寄与するような発信技術を、誰でも早くから身につけられるようにするための環境を大至急整える必要がある。同時に、デジタル空間を人が暮らす現実世界と見做して制度を整える必要もあろう。

もはや、伝える特権をメディアが独占することはできない。既存のメディアに携わるプロたちは、もしも本気で分断に橋をかけたいのであれば、自分達がこれまで独占してきた、かつ必ずしも適正に運用してきたとは言えない「人を殺さない発信の仕方」をスマホを手にした人々に速やかにシェアするべきだろう。

今、私たちが目にしているニュース映像の「決定的瞬間」はほぼ、市民が撮影した映像である。記者がその瞬間にたまたま居合わせる確率は極めて低い。災害や事故発生の瞬間など、よくこんな時にカメラを起動していたものだと思うような偶然の決定的スクープ映像を、市民たちが撮影してSNSに投稿する。それを大手メディアが見つけて使用するのが、今では通例となっている。市民たちの発信リテラシーが高まれば、大手メディアはよりクオリティの高いニュース映像を手に入れることができるだろう。従来、メディアのプロたちは、映像を見せることによって市民を〝教育〟してきた。マスメディアの表現が、それを目にする人にとって様々なステレオタイプや偏見を学習する〝教材〟となってしまうのだ。それはさらに、発信者となった個人によってネット空間で再生産され拡散されている。今後は差別や偏見を助長せず、かつ正確な情報がわかり易く伝わる撮り方・伝え方を子どものときから身につけられるようにする必要がある。

既存メディアのプロたちは、ネット空間という新たな公共的領域を、より安全で自由で民主的なものにするための知恵を貸すことができる。だが寡占的なプレイヤーとして君臨することや、お偉い教師役としてありがたがられることを目指すべきではない。同じ新時代を、このデジタル旧石器時代を一緒に生きる原始人として、そして対等で共創的な発信者として市民を信用し、市民に学び、共に育つことを目指すべきだ。メディアリテラシー向上のために、教育現場に協力するのもいいだろう。しかし繰り返しになるが、そこでは知識の下賜ではなく、フェアな分かち合いがなされることが肝要だ。

それは決して新しい話ではない。これまでもメディアの世界で、なされるべきで、なされなかったことだ。つまり、同じ社会に暮らすもう半分の人たちに、上から下へではなく、隣人として等分に場所を分け与えること。１９９０代半ば以降、ジェンダー平等の実現は世界のあらゆる意思決定の場で考慮されるべき重要課題となっている。この「ジェンダー主流化」は、政策決定過程やあらゆるレベルの政策及びシステムをジェンダー平等にするための政策理念で、1995年9月に中国で開催された第4回世界女性会議（北京会議）の宣言に明記されたことをきっかけに、世界的に広がった。ちょうどインターネットの普及と時を同じくして広まったのだ。だがそれから30年近く経った今でも、ことに日本のメディアではジェンダー平等の達成はなおも遙か遠い。新天地であるデジタルテクノロジーの世界では、1995年よりもさらに昔に戻ったかのように、全世界的に男性による独占状態が顕著である。

スマホ片手に未知のデジタル社会を生きる私たちは、全く同時に、先祖返りした過去の社会をなぞっている。だが自由とは、すでに数多の犠牲の上に学習されてきたことを白紙に戻すことではないはずだ。何度でも学び直し、学びを分かち合ってこそ、進歩がある。これから先の100年を作るのは、ニュースを賑わす天才奇才たちではない。「普通の人たち」の日常の営みこそが、巨人の背丈を伸ばすのだ。

SNS時代のガイドブックとして

本書はいわば、SNS時代のガイドブックのようなものだ。スマホが普及し、子どもの頃からSNSを使うのが当たり前となった時代に、最低限身につけておくべき基礎知識を集めた一冊とも言える。各章の要点をお伝えしよう。

第1章「眞子さまはなぜここまでバッシングされたのか」は、小室圭さんと眞子さんに関する報道を例に、「なぜSNSでのバッシングは過熱するのか」を考える。〝読まれる話題はカネになる〟と、媒体などが人々の注意関心を奪い合うアテンション・エコノミーが、SNSでの誹謗中傷と負の連鎖を起こしている。ここでは、その実態と、問われるプラットフォームの責任についても考察する。人々の注意関心を奪い合う巨大市場があるということは、あなたが眞子さん圭さん関連のネット記事を読むか読まないか、シェアするかしないか、いいね！をつけるかつけないかが、バッシングのありように深く関わっているということだ。ついつい読んでしまうという人は、いろいろと痛いところを突かれる内容かもしれない。知らぬ間にネットいじめの加害者にならないためにも、「読みたい」と思わせるコンテンツとの付き合い方はぜひ知っておく必要があるだろう。

特別対談01「イギリス王室と皇室では何が違うのか？」では、欧州の王室に詳しい君塚直隆氏と、SNS時代のロイヤルファミリーのあり方について、英国王室と日本の皇室を比較しながら考えた。

第2章「炎上する「萌えキャラ」／「美少女キャラ」を考える」は、萌えキャラや美少女キャラの炎上を例に、「女性の客体化」と「表現の自由」について考える。萌えキャラの何が問題なの？　とかねて疑問を感じている人もいるだろう。アニメはクール・ジャパンの代表で、世界に誇るべきものではないか、と。2020東京五輪・パラリンピック開催に向けた観光客誘致のために国が行ったキャンペーンで、〝日本を代表するコンテンツ〟として、ポケモンやハローキティと並んで採用された「温泉むすめ」。そのキャラクターの設定が少女を性的に描いたものとしてSNSで批判され、炎上した。なぜ「温泉むすめ」は問題視されたのか。児童ポルノに厳しい規制を設ける国もある中、海外からは日本の状況はどう見えているのか。アニメキャラなのだから好んで見ても問題ないと思っていると、外国で罪に問われることもあるので注意が必要だ。そして、こうした炎上のたびにSNSで盛り上がる「表現の自由を奪うな」という声。人々が民主主義と人権のために勝ち取ってきた「表現の自由」は、一切の制限なくいかなる表現も可能であるという〝自由〟なのか。炎上に困惑したときに押さえておくべきポイントが示されているので、考えを整理するのに役に立つだろう。

第3章「なぜSNSでは冷静に対話できないのか」では「SNSは世論なのか?」を考える。SNSに疲れ果てている人や、どうにも忙しくてまとまった読書の時間がとれない人は、まずはここだけでも読んでほしい。いきなり目から鱗が落ちて、きっと安心するはずだ。あなたは、ネットのコメントや、SNSの書き込みをなんとなく「世間の声」「みんなの意見」だと思って読んでいないだろうか。自分の投稿にたった一つネガティブなコメントがついただけで「他にもこう思っている人がたくさんいるに違いない」とショックを受けていないだろうか。また、見るのをやめたいと思っていても、つい何十分もタイムラインを見続けてしまうことがないだろうか(それはあなたの意志の問題ではないのだ)。アプリを開くと炎上や言い争いばかりが目について、世の中が砂漠のように思えることもあるだろう。だが、SNSの言論空間がどのようにして作られるかを知れば、現実世界に絶望しないでいられるかもしれない。ここではそれを詳しく、わかりやすく解説している。今やSNS空間は私たちの日常を取り巻く〝生態系〟とも言える規模に達している。無法地帯化したSNSの荒野を、より人間らしく生きられる空間にするための取り組みも始まっている。

特別対談02「ネット世論は世論ではない」では、ネットメディアの詳しい分析を行っている山口真一氏に、SNSの書き込みが世論のように見えてしまうからくりを詳しく聞いた。ネット空間をもっと暮らしやすい場所にするために不可欠なものは、デジタルの対極にあるものだという。あなたにも私にも、必要なのは哲学なのだ。

第4章「なぜジェンダーでは間違いが起きやすいのか」では、実際に起きた炎上を例に、企業や自治体の広報、報道、映画界、アニメの脚本という4つの現場での問題と取り組みについて具体的に記している。最大のポイントは「発信者に悪意がない」ことだ。無意識のバイアスが、性差別的な表現を許してしまう。また、意思決定層がほぼ男性（しかも家事育児経験が非常に少ない同質性の高い男性ばかり）という日本の構造的な問題も、そうした表現がスルーされて世に出てしまう原因となっている。この構造は、ハラスメントや性暴力の温床にもなってきた。映画などの映像表現の世界では、それを根本的に変える取り組みも始まっている。

ジェンダーに関する表現で留意するべき点は、無意識のバイアスだ。いろいろな事例に学び、意識していないと問題のある表現を見落としやすい。だが、ジェンダーに関することはなぜか「言われなくてもわかっている」とか、「ちょっと気をつければ大丈夫」と侮られやすい。あなたはどうだろうか。自分にはジェンダーのバイアスはない、わかっていると思っていないだろうか。思い込みに気づくのは案外難しい。私もハッとすることはしょっちゅうだ。

第5章「スマホ時代の公共の危機」は、「スマホが手放せない生活では、なぜジェンダーの視点が大事なのか」を考える。握りしめたこの四角い板の中に、私たちの生きるもう一つの公共空間がある。だがそこは、リアルな身体で生きる公共空間とは異なる公共的領域だという。端末から手を離しているときには頭の中だけでめぐっている、人には聞かせられないような言葉たちが、指先のタップひとつでスマホの画面の中に漏れ出し、出どころ不明の機雷のように漂って、遠くの誰かを深く傷つける。そんなネット空間で、強者は誰か。最も人の注目を集める者たちだ。あらゆる欲望を刺激する表現が、より多くの数（フォロワーやいいね！やシェアの数）を集め、強者となっていく。あなたはネット空間では、数字の1だ。あなたが何を見て、何に反応するかは、自分で決めているようで、実は巧みに誘導され、搾取されている。そして気づかぬうちにそうした強者たちに数という力を与えている。強者の声ばかりが響き渡る世界で、見たいものを見たい、見られたいように見られたいという人の欲望を満たし、さらに増幅させるようなアプリが量産されている。

第1章から第4章まで見てきたような問題を知らず、無防備な状態でネット空間に足を踏み入れた子どもや若者は、ことに弱い立場にある。中でもネット空間で「眺められ、消費される女性の身体」を自身に重ねてしまう若い女性たちは、精神面で深刻な悪影響を受けている。そもそもこうしたデジタル空間を作り出しているテクノロジー業界の人々はほとんどが男性で、日本では特にその傾向が強いという。私たちは何を見せられ、何を消費させられているのかに自覚的でないと、隣人を、あるいは自分自身を搾取することになりかねない。ここで繰り返し引用されている、ハンナ・アーレントが公共的領域に必須な価値として提示した「複数性plurality」という概念は極めて重要である。複雑さや曖昧さへの耐性をつけ、自分の脳内ではなく眼前に存在している未知の人たちを知る努力を惜しまない。それが、スマホなしでは生きられなくなってしまった私たちがこの未開の原野を生き延びるために不可欠な態度であるように思う。

大きな変化の時代を生きる人々にとって、本書が何かのヒントになったら一同こんなに嬉しいことはない。それでは、スマホを置いてページをめくってみてほしい。

01

眞子さまはなぜ ここまで バッシング されたのか

浜田敬子

浜田敬子　はまだ・けいこ

ジャーナリスト。1989年に朝日新聞社に入社。2014年からAERA編集長。2017年世界12カ国で展開するアメリカの経済オンラインメディアBusiness Insiderの日本版を統括編集長として立ち上げる。2020年からフリーランスのジャーナリストに。2022年8月に一般社団法人デジタル・ジャーナリスト育成機構を設立、代表を務める。「羽鳥慎一モーニングショー」「サンデーモーニング」のコメンテーターを務めるほか、ダイバーシティや働き方などについての講演多数。著書に『働く女子と罪悪感』(集英社)、『男性中心企業の終焉』(文春新書)。

減らない眞子さん小室さん報道

小室眞子さん、圭さん（以下、眞子さん、小室さんとする）が結婚して1年以上経っても、毎週のように週刊誌、特に女性週刊誌には二人に関する記事が掲載されている。二人に限らず、雅子さまや紀子さま、佳子さまに関するものもあるが、日本から離れてもなお、小室夫妻に関する記事は途切れることがない。

ざっと2022年7～8月の女性週刊誌3誌の目次をそれぞれのサイトで振り返ってみる（太字は眞子さん、小室さんに関するもの、タイトルはサイト記載のもの）。

『週刊女性セブン』

・雅子さまと愛子さま「閉ざされた御所」不安／佳子さま危うい大問題「結婚が先か」「皇室脱出が先か」（7月7・14日号）

・愛子さまご結婚相手候補「旧皇族男子の本命」／紀子さま悠仁さま悪夢の再来！ 17センチ刃物事件緊急逮捕（7月21日号）

・**眞子さん国宝ビジネス始動「小室圭さんまた不合格は想定内」**（7月28日号）

・雅子さま悼まれて切望「安倍国葬」急転内幕／**小室圭さん司法試験合格より眞子さんとの「アメリカ生まれの赤ちゃん」**（8月4日号）

・上皇陛下心不全ショック！　美智子さま「ワクチンは藪の中へ」／**眞子さん「もう無理…」小室圭さん3度目試験合格率18％の悲壮**（8月11日号）

・愛子さま熱狂の「おひとりさま伊勢路」雅子さま越えて（8月18・25日号）

『週刊女性自身』

・雅子さま「腰の爆弾」美智子さまも苦しんだ皇后58歳の超過酷／**佳子さま「皇室脱出へ姉（眞子さん）（裏）支援」――日本工芸会総裁就任の深謀**（7月5日号）

・愛子さま　就職先は「盲導犬協会」。ご公務と二刀流で福祉＆動物愛護をライフワークに／**眞子さん始動！　皇族ビジネス「NYで日本工芸展」隠さぬ野望**（7月12日号）

・雅子さま驚愕「宮内庁が皇族軽侮」紀子さま誹謗の次は瑤子さまの手紙流出／**小室圭さん同僚も呆れる自覚なき品格（汚）スーツ出勤**（7月19日号）

・雅子さま国民と共に！「節電の御所」奔走／**眞子さん「見返す！」NYでセレブ妊活開始**（7月26日・8月2日号）

・雅子さま身辺警護増強拒否「テロに屈しない！」／**眞子さん誤算「味方だった安倍さんが…」NYの消沈弔問記帳**（8月9日号）

・**眞子さん　家賃倍増90万円新居へ　夫の合否前にNY永住決意**／「停戦のキーマン」と異例の対面で雅子さま「私も平和の使者に」（8月16日号）

・佳子さま　本命恋人は《両親公認》エリート歯科医　本人たちも母親同士も同級生！七夕前夜お忍び実家訪問目撃撮／雅子さま　皇室感染爆発でも「皇后の大任《看護師激励》やりきる」／愛子さま　ティアラ（再）固辞「3千万は国民のために！」（8月23日・30日号）

『週刊女性』

・秋篠宮さま（56）縮まらない「佳子さま（27）との距離」（7月5日号）

・紀子さま（55）胸騒ぎが止まらない悠仁さま（15）の夏キャンプ、親離れ（7月12日号）

・佳子さま（27）歩む「サーヤ街道」も美智子さま（87）に霞む一抹の不安（7月19日号）

・**小室圭さん（30）3度目の正直に挑む再々受験は「背水の陣」でも**／今や5人に！

未婚女性皇族それぞれのロイヤルな素顔（7月26日・8月2日号）

・眞子さん（30）夫が不合格でも「NY救済の女神に！」計画（8月9日号）

・眞子さん（30）が隠れ住む洗濯機ナシ&家賃割安な本当の家／悠仁さま（15）夏登山で発揮した手助けリーダーシップ（8月16日号）

・悠仁さま（15）すでに始まっている慎重お妃選び（8月23・30日号）

こうして見ると、共通する〝ある傾向〟が見えてくる。悠仁さま、小室さんを除いては女性皇族に関する記事が多いこと。雅子さま、愛子さまに関しては手放しで褒める記事が多く、一方で眞子さん、小室さんに関しては心配する素振りを見せながら、物価の高いNYで二人が暮らしていけるのか、そもそも小室さんはNY州の弁護士になれるのか、「お手並み拝見」的トーンが目立つ（その後、小室さんはNY州の司法試験に合格した）。

繰り返されてきた女性皇族へのバッシング

今でこそ言動全てが賞賛の対象になっている雅子さまと愛子さまだが、この二人もかつては些細なことでも批判される時代があった。遡れば、現在上皇后の美智子さまも平成になり、皇后になってまもない時期に一部週刊誌からバッシングされ、1993年には失声症になるという経験をしている。

象徴天皇制に詳しい河西秀哉・名古屋大学大学院准教授は、今でこそ上皇と上皇后のあり方は「平成流」として国民にも親しまれているが、平成になった当初は、

「『昭和天皇の時代はよかった』と懐古する人たち、とりわけ保守的な立場の人からの批判が、明仁天皇だけでなく、女性という、より弱い立場の美智子皇后に向いた点が重要です。バッシングについて『どのような批判も、自分を省みるよすがとして耳を傾けねばと思います。（中略）しかし、事実でない報道には、大きな悲しみと戸惑いを覚えます』（1993年10月20日、誕生日に際して）と文書で述べたあとに美智子皇后が倒れると、世論は擁護ムードに傾きました」（文春オンライン[*1]）

そして雅子さま。婚約から結婚に至るまでは、外交官出身の「才女」としてそのキャリアやファッションセンスなどが好意的に描かれていたが、「2003年に帯状疱疹をきっかけに公務を休んだ雅子さまが小和田家の別荘で静養されたあたりから、実家との交流を控えていた美智子さまとの比較で、雅子さまへの批判的な目、報道が始まったと記憶しています」と、週刊誌で皇室記事を担当し、『雅子さまの笑顔——生きづらさを超えて』の著書もあるコラムニストの矢部万紀子さんは話す。

その翌年、皇太子だった現天皇が会見で、「それまでの雅子のキャリアや、そのことに基づいた雅子の人格を否定するような動きがあったことも事実です」という、いわゆる「人格否定発言」がなされ、雅子さまの病名が適応障害であることも宮内庁から発表された。だが、なかなか病状が回復せず公務に復帰できない雅子さまに対して、報道は過熱していった。愛子さまとの「母子密着」を批判するものも増え、２０１１年に愛子さまの校外学習に雅子さまが同行したことで、バッシングは頂点に達した。

矢部さんは一連の批判報道について、こう話す。

「平成に入り、美智子さまを批判したのは、昭和と比較する『男性的な目線』でした。だから、同世代の女性たちは、バッシング報道に影響されることはなかったと思います。彼女たちは、自身も姑との関係で苦労した経験がある世代として、今も一貫して美智子さまに心を寄せているのだと思います。それに応えるように美智子さまは、『幸せな家族像』を国民に見せてきました。

雅子さまが病を得たことで、皇室が『幸せな家族像』だけでは済まないとわかってきた。でも国民は皇室の『幸せな家族像』を諦められない。雅子さまの病の始まりは、何を言ったか、何をしたかではなく、ファッションなど『表面的な幸せ』が注目されたことかもしれません。婚約時代の雅子さまは写真を撮られることに違和感を持っていたと聞きました。自分に求められるものへの違和感の、第一歩だったかと今は思います」

良き母を求め「変革」を封じる

「週刊誌における皇室報道——２０１３年上半期の週刊誌は皇室をどう描いたか」（茨木美子『出版研究』第44号、２０１３年）は、雅子さまへのバッシングがまだ続いていた２０１３年上半期における一般週刊誌６誌、女性週刊誌３誌の皇室報道を分析しているが、特徴として女性週刊誌における天皇・皇后記事はもっぱら美智子皇后（当時）に関するものだったという。その内容は病をおして東日本大震災で被災した人たちに対する公務に捧げる献身的な姿を、「慈愛あふれる〈国母・太母〉」として強調し、雅子さまと対比しているところが特徴的だと分析している。代表的な見出しとして、「雅子さま『美智子さまにはなれません…』『挫折と自責』の３ヶ月！」（『女性自身』６月25日号）を挙げている。

茨木さんは、この時期病気で思うように公務ができない雅子さまと美智子さまをあえて対比させることで、女性週刊誌は、皇后として求められるものが「慈悲あふれる献身さ」「無限抱擁的な『母親像』」であることを強調していると分析している。

新聞社で皇室記者の経験もある成城大学の森暢平教授は、天皇の代替わりのたびに、いじめと同じで、「弱いところ」に対する誹謗中傷は繰り返されてきたと話す。

「女性皇族が狙われやすい前提には、一種の偏見や差別があったと思います。加えて民間から皇室に入られた方達は、伝統を『変革する』立場としても捉えられやすい。それは時に伝統を重んじる人を脅かす存在としても見られてきました」

　美智子さまも初めて民間から皇室に入り、前例にとらわれない育児や生活スタイルを実践した。当時そうした美智子さまに対して、皇室内部からの反発は強かったが、高度経済成長期にあった日本では、「新しい生活スタイル」「理想の家族」として世論は圧倒的に支持し、「世論が皇室を変えていった部分があった」と森さんは話す。そこには前述したように、皇室報道を読む読者が美智子さまと同世代で、圧倒的に支持していたことも大きかった。

　雅子さまが皇室に入られた時代は、女性の生き方が多様化する時期と重なった。まさに多様化の先駆けが、ハーバード大学を卒業し、１９８７年に外務省に入省した雅子さまだった。外務官僚になった前年には、採用や登用における女性の差別を禁じた男女雇用機会均等法が施行されている。

「雅子さまのことは他人事とは思えない」

私はその3年後に朝日新聞社に入社した、均等法世代である。雅子さまの婚約内定の報を聞いた時最初に抱いた感想は正直「もったいない」だった。外交官としてのキャリアを断念するのだから、何かこれまでの女性皇族とは違う、例えば最初に雅子さまが切望されていたと言われる「皇室外交」のような形で、能力を生かしてほしいと期待した。だからこそ、公務から遠ざかり、病気報道が続く時期は気が気でなかった。

当時私は『AERA』編集部で働いていたが、何度か雅子さまを擁護する記事を掲載した。最初の企画は、「他人事ではない私たち　雅子さま異例のご静養の影で」(『AERA』2004年5月3日号)。偶然その時期に集まった大学の同級生たちが口々に、「雅子さまのことは他人事とは思えない」と話したからだ。

全員働き続けてはいたが、最初に総合職として就職した銀行などで、男性総合職でもなく一般職の女性とも違う立場に孤立を深めた経験を持っている。今よりももっと女性総合職は少なく、その一挙手一投足が注目される割には、仕事では期待されない。言語化されていない暗黙のルールや労働慣行が根深い職場でどう振舞っていいかわからない——伝統的な皇室で孤立する雅子さまに自分達を投影していた。

その後も雅子さまに対する風当たりは徐々に強くなっていったが、それでも『AERA』は「雅子さまを諦めきれない」（2012年2月13日号）と擁護を続けた。それはしんどい思いを抱えながら働く自分たちへのエールでもあった。美智子さまが、同時代を生きる女性たちの母や妻としての生き方を肯定してくれたロールモデルだったように、雅子さまは働く女性のそれであったと思うが、いかんせんその数は少なく、森さんが言うところの「世論が皇室を変える」ほどのインパクトはなかった。

女性皇族はどうしても、その時代を生きる女性たちの自己投影の対象となりがちで、その時代の誰に自分の人生をどう投影させるかによって皇室への眼差しは大きく変わってくる。さらに変革の象徴と見られれば伝統的な社会であるほど摩擦は大きくなる。社会が求めるものの揺らぎが報道には反映されてきた。

では眞子さんや小室さんは、なぜここまで苛烈なバッシングに晒されたのか。

先の森さんは著書『天皇家の恋愛』の中でこう書いている。

「現代日本の家族観、恋愛・結婚観は、多様化と、その反動としての伝統回帰志向とに分裂している。家族についての考え方が分断される時代に『眞子さま問題』は起きたのである。伝統回帰派にとって、この結婚は由々しき問題であっただろう（中略）。一方、個人の自由や多様性を重視する人たちにとって、この結婚は何の問題性も感じられない」

ネット転載で広がった読者層

眞子さん・小室さんの結婚は、森さんが指摘するように家族観・結婚観が大きく分断する時代の出来事であったことに加え、ニュースの読まれ方が大きく変わった時期とも重なった。報道の主戦場がネット上になったことで、SNSによってメディアの想定以上に記事が拡散され、記事への反応はもはやメディアがコントロールできるはずもなく、時には暴走する。そんな時代の「結婚」だったことが大きく影響している。

女性週刊誌の中で一番古い『週刊女性』（主婦と生活社）は1957年創刊、『女性自身』（光文社）は1958年創刊、『女性セブン』（小学館）は少し遅れて1963年創刊。まさに1958年に当時の皇太子と婚約し、翌年に結婚した美智子さまによるミッチーブームと共に読者を増やし、成長してきた女性週刊誌にとって皇室記事はレゾンデートルでもあり、キラーコンテンツでもある。

今でも皇室関連記事は必ず毎号1本は掲載され、表紙の一番目立つ位置に見出しが掲載され、記事は巻頭に掲載されることが多い。

とはいえ皇室記事があるからといって、もはや紙の雑誌には全く影響はない、つまり売れる訳ではない、とある女性週刊誌の皇室担当記者は言う。

「それでも必ず、ネタがない週でも1本は掲載するのは、ネットに転載するためです」

『週刊女性』であれば「週刊女性ＰＲＩＭＥ」、『女性自身』では「ＷＥＢ女性自身」、『女性セブン』は「ＮＥＷＳポストセブン」というように各誌にはそれぞれウェブ版がある。自社サイトに紙の記事を転載するだけでなく、それぞれの記事はＹａｈｏｏ！ニュースやスマートニュースなどのニュースプラットフォームにも配信され、公式Twitterでも拡散させている。Ｙａｈｏｏ！ニュースのようなプラットフォームに配信されればＰＶに応じて配信料が入り、ＳＮＳからはそれぞれのサイトに読者を送客でき、そのＰＶによって広告の値段が決まるので、当然読まれるほどに収益は上がる。

一般社団法人日本ＡＢＣ協会が発表している２０２２年４―６月期のウェブ指標によると、『週刊ポスト』と『女性セブン』２誌分の記事がある「ＮＥＷＳポストセブン」のＰＶが最も多いが、他の２誌のＰＶも決して小さくない。ウェブメディアの編集長を経験してきた身からすると、外部配信、自社サイトで稼いでいる数字を見る限り、かなりの収入になっていると想像できる。

ちなみに３誌のウェブ実績は以下の通り（自社ＰＶとは自社サイトの月間閲覧ページ数の

3カ月の平均、外部PVとは外部配信先の月間閲覧ページ数の3カ月平均)。

・「NEWSポストセブン」自社PV　1億9380万7380　外部PV　1億6820万8239

・「WEB女性自身」自社PV　8595万4397　外部PV　1億3520万1823

・「週刊女性PRIME」自社PV　9659万9793　外部PV　1億6391万8341

一方で、紙の雑誌の市場は縮小し続けており、女性週刊誌もその波をまともに受けている。一般社団法人日本雑誌協会が発表している部数を10年前と比べてみると、

・『女性セブン』46万9455部(2009年1〜3月)→33万4273部(2019年1〜3月)

・『女性自身』45万1100部(同)→32万8825部(同)

・『週刊女性』32万6439部(同)→19万5208部(同)

これは印刷している部数なので、実売部数はもっと低いだろう。いずれも10年間で大きく部数を下げている。この売り上げをカバーするものとして、ウェブに力を注ぐということは雑誌を運営している立場からすれば当然の戦略だ。

だが、そのことによって、読者層は大きく変わってしまった。

先の皇室担当記者は、

「皇室記事の読者は基本、皇室のファンの人たちで、ほとんどは女性です。記事では女性たちが興味があるのは女性皇族だから、女性の目線で喜怒哀楽を動かすような女性皇族の記事が求められてきました。それがネットで、皇室に関心のなかった人にまで読まれるようになったことで読者層が大きく広がってきました」

紙の時代も、雑誌本体は読まずとも、新聞広告や電車の中吊り広告で見出しを見て内容を推測することはできた。だがネット時代は、興味がなくても皇室記事が目に飛び込んでくるから、より多くの人の目に触れるし、内容も読むことができる。一度読み出すと、アルゴリズムが「皇室記事に関心あり」と認識し、さらに多くの皇室記事がオススメ記事として表示されるようになる。こうしたアルゴリズムの罠については後述するが、そんな時代に起きたのが眞子さん、小室さんの結婚問題だったのだ。

炎上の実態とキーワード

読者層の拡大とともに、ＳＮＳやコメント欄と呼ばれる匿名の掲示板の存在も大きい。紙の時代は、記事の感想を他人と共有することは容易ではなかったが、今ではTwitterなどのＳＮＳや、ヤフコメと言われるＹａｈｏｏ！ニュースのコメント欄などで、自分の身元を明かさず感想を書いたり、また他人の感想を簡単にシェアできたりするようになった。それが過去にないほどの眞子さん、小室さんへの誹謗中傷に繋がった。

ではいつ、どんな記事がきっかけで誹謗中傷は過激さを増していったのか。今回、眞子さん、小室さんについてのTwitter上の反応を、ユーザーローカル社のソーシャルメディアの解析ツール、ソーシャルインサイトを用いて分析した。

２０１７年5月16日のＮＨＫの婚約内定スクープ後は、二人の馴れ初めや小室さんがかつて「海の王子」であったことなどのエピソードが目立つ。また同年9月3日の婚約内定会見の後も、会見で小室さんが自身を太陽に、眞子さんを月に喩えたことに対して、比較的好意的なツイートが多い。

そのトーンが一変するのは、同年12月の『週刊女性』（12月26日号）による、小室さんの母、佳代さんの金銭トラブルが報じられてからだ。

この時期のRT（リツイート）ランキング上位の中には、母親の金銭トラブルそのもの以上に、「眞子さまは打出の小槌、ATM扱いでしょう」などという、小室さんが「稼いでいない」ことを非難するものが目立つ。当時、小室さんは法律事務所でパラリーガルとして働いていたものの、「定職に就いていない」男性として、Twitterやヤフコメでは、眞子さんの持参金目当ての「ヒモ」「ロイヤルニート」などと中傷されることが増えていく。

その傾向は、翌2018年2月に宮内庁が納采の儀を延期することを発表しても変わらず、小室さんがロースクール進学のために渡米した間も執拗に続いた。殊更「無職」を強調されるような中傷が続いたのは、伝統的家族観・結婚観を重視する人からすれば、「男性が定職にも就かず、大黒柱として家族も養えないのはとんでもない」という価値観の反映だろう。

もう一つ目立つのが、「母子家庭」なのに私立大に進学し、留学を果たしているという家庭環境をあげつらうツイートだ。「努力もせず、母親の元婚約者にお金を出してもらって図々しい」「母一人に息子一人の家庭。ただでさえ敬遠した方が良い相手」……こうしたツイートには「それなのに上手くやって」という本音が透けて見える。

税金を使うことに対する反発は、小室さんがアメリカ留学中から見かけるようになる。悠仁さまの学校の机の上に刃物が置かれた事件を受けて、「小室圭を警備する余裕があるのであれば、そちら（悠仁さま）を警備すれば良い。小室圭に税金を使う必要はない」など、この頃から小室さんという存在に税金が投入されることに対する反発が増えていく。

一方で先の森さんはこうも指摘する。

「実は婚約内定報道直後からネットには小室さんの過去の羽目を外した写真がアップされ、母子家庭であることも書かれ始めていました。ネット社会では常にスケープゴートを探していて、そこに小室さんがハマった。当初は週刊誌も小室さんのお父さんの自殺など遠慮気味に書いていたのですが、ネットで批判が高まるのを見て、『もっと報じても大丈夫だ』とエスカレートしていった印象を持っています」

ネット上の反応を見ながら、メディアの報道も少しずつ過激になっていき、またその記事が火種となり、新たな炎上を生む。メディアとSNSは合わせ鏡のようにエスカレートしていった。

森さんはこうした報道に、メディアを通じて警鐘を鳴らしてきたが、そのことで自身も誹謗中傷の対象になった。ヤフコメでは多い時で2万を超える攻撃的なコメントがつき、勤務先の大学にまで脅迫に近い電話がかかってきたという。

２０２１年10月１日、宮内庁は眞子さん、小室さんの結婚を正式に発表した。同時に一連の報道やその反応の影響で、眞子さんが複雑性心的外傷後ストレス障害（ＰＴＳＤ）の状態にあることも明らかにされた。

この状況に対して、ジャーナリストで「ポリタス」編集長の津田大介さんは、「マスメディアが煽って、ネットがそれを真に受けてバッシングが加速し、そういう極端な意見を『世論』と勘違いして、さらに報道を過熱させ、反論できないことをいいことに報道し続けた結果がこれです」とツイートした。

ヤフコメ非表示に「ホッとした」

一連の眞子さんや小室さん、佳代さんに対する執拗な攻撃、誹謗中傷の嵐を、報道する側はどう考えていたのだろうか。

ネット時代になり、記事がインターネット上にも配信されることで、自分達は同じように報じているつもりでも、その反応は予想し得ないものになっている。だが、それでも発火点となる記事がなければ、もしくは記事の書き方次第では、これほど炎上しなかったのではないか。メディアはそのことをどこまで認識しているのだろうか。もしくはそれも織り込み済みなのか。それでも記事の量産を止めなかったのは、「売り上げ」「ＰＶ」といったビジネス上の理由なのか。特に眞子さんがＰＴＳＤを明かした後、報道のあり方の見直しや対応を検討したのか――そういったことを聞きたくて、女性週刊誌3誌に「SNS時代の皇室報道のあり方について」というテーマで取材を申し込んだ。

結論から言うと、今回3誌とも受けてもらえなかった。「皇室というテーマにおいて週刊女性編集長として何か発言することは現時点では控えさせていただいております」（『週刊女性』編集部）、「残念ながら日程の都合がつかず、今回はご遠慮させていただきたい」（『女性自身』を発行する光文社広報室）、「今回はお断りさせていただければと存じます」（『女性セブン』を発行する小学館広報室）という回答が返ってきた。

そんな中で、実際取材する皇室担当記者の話を聞くことはできた。

「ある時からとにかく何を書いても、一部の人たちが荒れるようになってしまって……一体何を書けばいいのか、また自分の書いた記事がご本人たちを傷つけてしまうのではないか、という怖さもありました。炎上の燃料として書いているつもりは全くないのですが、ヤフコメ欄が閉鎖されたときは正直、これで自分の記事が火種になるかもしれないという不安から解放された気持ちにはなりました」

「ヤフコメ欄の閉鎖」については後で詳述するが、この記者が所属する編集部では、PTSDが発表された後、今後の報道のあり方を話し合ったという。それでもこの記者は、皇室記事は必要なものだと思っている、と話した。

「皇室はクローズドな世界なので、その内部は国民からは見えにくい。皇室が存在する意義も感じているからこそ、その活動や日常を伝える意味はあると思っています」

「SNSも含めて対応するのは不可能」

ネット上、特にSNSやプラットフォーム上での個人に対する誹謗中傷やヘイトスピーチが厳しく問われるようになったのは2020年5月、フジテレビの番組「テラスハウス」に出演した女子プロレスラーの木村花さん（当時22歳）が自ら命を絶ったことが大きく影響しているが、それ以前から性暴力を告発したジャーナリストの伊藤詩織さんなど多くの人がネット上の誹謗中傷被害に遭ってきた。総務省の違法・有害情報相談センターに寄せられた2021年度の相談件数は6329件で、10年前の4倍に上るが、これはプロバイダー事業者に投稿の削除を要請した件数なので、氷山の一角に過ぎない。

こうした状況を受けて2022年7月には、侮辱罪の法定刑が「拘留（30日未満）か科料（1万円未満）」から「1年以下の懲役・禁錮か30万円以下の罰金、または拘留か科料」と引き上げられ、時効も1年から3年に延長された。10月からはプロバイダ責任制限法も改正され、加害者を特定する手続きは簡素化される。ただ、いったんネット上で晒されたり、虚偽情報をばら撒かれれば、名誉を回復し、プライバシーを守ることは容易ではないことを考えると、今の法制度でもまだ不十分と言える。

以前よりは手続きが簡素化されたとはいえ、匿名での投稿者を特定する作業は訴訟手続きを経なければならないことに変わりはない。金銭的な理由などで訴訟に踏み切れない人も多いだろうし、そもそも皇室が誹謗中傷に具体的に対策を取るなど事実上不可能だ。

毎日新聞の元編集委員で、長く秋篠宮さまと個人的な交流があったジャーナリストの江森敬治さんの著書『秋篠宮』は、数少ない皇室の「肉声」を伝える貴重な書だ。眞子さんと小室さんに関する報道が過熱していることに対して、江森さんが秋篠宮さまに報道の是非について、尋ねたところ、

「当方の姿勢として、間違った記事が出てもよほどのことがない限り、訂正を求めたり抗議をしたりすることはいたしません。あるパラグラフの中にある不正確な箇所を指摘することは、それ以外は全て正確ということになるからです。週刊誌報道ではありませんが、最近はSNSでの情報拡散も多々あります。かなりけしからん記述も見られますが、それらまで含めて対応するのは、とてもできることではありません」

と話されたという。江森さんはその言葉にある種の諦念を感じたと書いている。

問われるプラットフォームの責任

その江森さんの著書『秋篠宮』も、ターゲットになった。発売直後からAmazonのレビューに大量の本の内容を酷評するコメントが書き込まれたため、Amazonは一時書き込み停止の異例の措置を取った。

眞子さん、小室さん報道では報じるメディア側だけでなく、それを配信するプラットフォームや匿名の反応を野放しにするSNSのあり方も問われた。中でも、厳しい目で見られたのが、ヤフーが運営するヤフコメだ。

1996年に始まった国内最大のニュースプラットフォームであるYahoo!ニュースには、新聞やテレビ、通信社、出版社、ネットメディアなど約430のメディアがコンテンツパートナーとして1日計約7500本もの記事を配信している（2021年12月時点）。私もネットメディアの編集長を務めていたから、その巨大なプラットフォームの集客力は体感している。

一方で、自身が運営しているメディアの記事だけでなく、私自身がテレビ番組でコメンテーターとして発言したことも記事化され、炎上したことも何度かある。現在の匿名コメント欄には弊害しか感じないが、それでも新興メディアに限らず多くのメディアが、ヤフーから得られるPVに応じた配信料や、自社サイトに流入してくるPV数に依存せざるを得ない「ヤフー頼み」の状態からなかなか抜け出せない状況に葛藤を抱えてきた。

Yahoo!ニュースの集客力のエンジンの一つが、この2007年にスタートしたヤフコメと呼ばれるコメント欄だ。ヤフー側はコメント欄の目的を、「多様な意見を共有し合い、新たな視点を得るきっかけを創出する」としているが、実際のコメント欄には目を疑うような特定の国や人種に対するヘイトスピーチや、個人に対する誹謗中傷が溢れてきた。ネットニュースに詳しい専門家の中には「ヤフコメ欄の即廃止」を訴える人もいる。

ヤフー側も手をこまねいていたわけではない。2020年には「プラットフォームサービスの運営の在り方検討会」を設置。AI（人工知能）を使って、問題がある言葉を検出して投稿を削除したり、表示順を入れ替えたりしてきた。2021年10月には違反コメントが一定数に達した場合、その記事の全コメントを非表示にする施策も導入した。

その対策を導入した直後、眞子さんと小室さんの結婚会見前後の一部の記事で、ヤフーはコメント欄を非表示にした。その記事は、「眞子さまと小室さん　婚姻届受理」「眞子さま会見　質疑応答とりやめ」の2本。それぞれ数時間で1万件前後の批判的なコメントが殺到し、ヤフーが定めた基準を超えたためとされる。

さらに2022年5月には、「NEWSポストセブン」「週刊女性PRIME」「東スポWeb」が提供する一部のエンタメ記事のコメント欄が非表示となった。どんな理由で、なぜこの3媒体のみ閉鎖されたのかについて、ヤフーは「契約上の守秘義務」を理由に公表していない。

コメント欄に対する施策を導入後約2カ月間で、非表示となった記事は216本で1日平均3・5件、1日当たりの配信記事数に対して0・05%だという。その内訳を媒体別に見ると、一般紙・通信社が47件、週刊誌が42件、テレビが41件、ネットメディアが37件、スポーツ紙・夕刊紙が31件、海外メディアが18件となっており、媒体によって荒れる度合いに差があるわけではないこともわかる。

今回、ヤフーにも皇室報道とコメント欄の非表示について取材を依頼したが、断られた。「Yahoo!ニュースとしては、不適切なコメント対策において特定のニュースのみ特別対応をしているわけではなく、Yahoo!ニュース全体で、ユーザーに安心して快適に利用いただけるようさまざまな施策を進めており、皇室報道に特化してお話することは難しい」ということだった。

この取材申し込みの後、ヤフーはさらに踏み込んだ対策を発表した。2022年11月から、ヤフコメに投稿する際には、携帯電話番号の登録を義務化する。投稿停止措置を受けたユーザーが新たにＩＤを取得することを防ぐだけでなく、誹謗中傷を受けた被害者が発信者を特定しやすくなる。

ヤフーがここまで踏み込んだ対策を取らざるを得なくなった背景には、眞子さん小室さん報道とそれに関する一連のヤフコメの影響は少なくなかっただろう。公共の言語空間を運営するヤフーが根本的な対策を取らないことに対して、企業姿勢まで問う声は大きくなっていた。もっと早くこうした対応を取るべきだったが、それでもヘイト発言や誹謗中傷対策としては一歩前進だと思う。

アテンション・エコノミーとどう付き合うか

ネット社会の特徴は、多くのコンテンツが無料で読んだり見たりできるようになったことだ。それまで新聞や雑誌の記事は、お金を出してわざわざ買わなければ読めないものだった。無料記事の氾濫は、新聞や雑誌の購読モデルというビジネスモデルを崩壊させた。

コンテンツを無料にした代わりに、多くのメディアはＰＶに応じた広告収入に依存せざるを得なくなった。このネット上の広告によるビジネスモデルが、『アテンション・エコノミー』と呼ばれる現代社会の基盤となる経済原理を生み出した」という（『デジタル空間とどう向き合うか――情報的健康の実現をめざして』）。

同書によると、アテンション・エコノミーの基本は、利用者のアテンション（関心）を集めて広告を閲覧させる仕組みだ。多くの情報が情報ポータルサイトにアクセスすることで読まれるようになったことで、メディアは媒体ごとでなく記事単位で閲覧されるようになった。広告モデルでは記事一つひとつがどれだけ注目され、読まれたかが収入に直結するので、個々の記事でいかにアテンションを引きつけられるかが勝負になる。そしてプラットフォーム側も広告収入に依存しているので、よりアテンションの高い記事を優先的に表示し、さらに人々のアテンションをアルゴリズムによって、より精緻に操作するようになる（アテンション・エコノミーについては3、5章で詳述する）。

その結果、「フィルターバブル」と「エコーチェンバー」という現象も起きている。もはや私たちはアルゴリズムによって、「見たいものしか見ない」状態になっており、積極的に関心を持たない情報には触れることができない状態になっている。触れる情報がアルゴリズムによってコントロールされた一種の泡の中にいるような状況をフィルターバブルという。そしてその制限された情報空間の中で、同じような価値観の人の意見ばかり反響し合って増幅されていくのがエコーチェンバーという現象だ。まるで世の中には自分自身と同じ意見、価値観の人しかいないかのような錯覚に陥ってしまう。

同書の著者の一人でもあり、総務省の「プラットフォームサービスに関する研究会」メンバーでもある山本龍彦・慶應義塾大学教授は、眞子さん小室さん報道はアテンション・エコノミーの「負の循環」の中で起きたと指摘する。

「皇室記事を出せばそれなりにPVは取れ、その記事に対して一部の読者がコメントをつけ拡散をすると、さらに記事は読まれる。なので、メディアは同様の記事を出し、アテンションを引こうとするという連鎖が起きていたと思います」

これまで「紙の時代」にも過激で刺激的な記事はあったが、そうした記事はある意味「禁断の果実」として扱われていた。一部にそうした記事はあっても雑誌全体を読めばいろんな分野の記事が読めて、ある程度バランスよく情報を取得することができた。これを山本さんは「情報的健康」状態と表現する。

「しかし、今はプラットフォームのアルゴリズムによって、高い精度でコンテンツがパーソナライズ化され、一度読むと同様のコンテンツばかり表示される仕組みになっています。そのことでよりアテンションを引きつけている。情報的健康状態を維持するために、プラットフォームの責任は非常に重いと思います」

ヤフーがヤフコメを非表示にしたような対策だけでなく、例えば誹謗中傷を受けたり差別されたりした人に対しての救済措置、パーソナライズ化のアルゴリズムの仕組みをもっとわかりやすくオープンにすることなども考えていく必要があるという。

既にEUでは、デジタルサービス法（DSA）が採択され、GAFAなど巨大プラットフォームに対しての規制も始まっている。DSAでは、違法とみなされるコンテンツの削除機能の強化のほか、アルゴリズム機能の透明性の向上なども義務付けられる。行き過ぎた情報のパーソナライズ化の対策として、個人の嗜好に最適化した画面の他に、ワンクリックでパーソナライズ化されていないページが表示される機能をつけることも議論されている。またイギリスでは取材による裏付けのあるジャーナリスティックな記事を優先的に表示させる仕組みの導入も検討されているという。

「日本ではこれまで誹謗中傷対策、フェイクニュース対策を中心に議論されてきていて、この行き過ぎたパーソナライズ化への対策はまだこれからです。プラットフォーム側は国から規制されるより前に、どうやって情報の偏食に気付きを与え、多様な情報へアクセスする機会を保障するのか、自主的に取り組む必要がある。一方、メディア側にも業界としてデジタル時代に即した報道倫理をどう考えていくのかが求められていると思います」

「開かれた皇室」は現実的か

　ではデジタル時代に報道側に求められるものとは何か。一連の眞子さん、小室さん報道を経て、皇室報道も時代に即して変わるべきだという議論も起きている。

　皇室報道のニュースソースとなる宮内庁の情報の発信方針や方法にも課題があると指摘する声も大きい。皇室報道が憶測まじりになる背景には、宮内庁の対外発信が限られているという事情がある、と『秋篠宮』著者の江森さんは書いている。情報が少ないからこそ、噂や勘ぐりが横行し、それを週刊誌が嗅ぎつけて報道すると。

　江森さんの25年以上前のインタビューに対して、秋篠宮さまはこんな発言もしている。

「宮内庁職員は国民のニーズに応え、情報発信すべきです。宮内庁にホームページを作ってもらいたい。いろいろな皇族が出かける先に宮内庁職員を派遣して、その様子を紹介すればどうだろうか」

　その後宮内庁のホームページは作られたが、見てみると、役所のホームページの中でもとりわけ〝役所っぽく〟、全く魅力的ではない。少なくとも皇室の姿を伝えようとする姿勢は微塵も感じられない。

その中には「皇室関連報道について」というページがあり、「最近の報道の中には、事実と異なる記事や誤った事実を前提にして書かれた記事が多々見られます。（中略）このため、あまりにも事実と異なる報道がなされたり、更にはその誤った報道を前提として議論が展開されているような場合には、必要に応じ宮内庁として、正確な事実関係を指摘することといたしました」とある。だが、誤りを指摘されている直近の記事は、『週刊新潮』の２０２０年12月24日号。「小室圭・佳代さんに美智子さまからの最後通牒」というもので、それ以降は更新されていない。それ以前も２０１８年の5件、２０１７年は2件ほどしかない。

そもそも皇族の肉声や日常、公務などを知る機会は非常に限られている。直接取材できる記者は、宮内記者会と言われる記者クラブに所属する新聞・テレビ15社の記者のみだ。

朝日新聞社で長年皇室担当編集委員を務めてきた岩井克己さんの著書『皇室の風』には、皇室とメディアの関係の変化が描かれている。戦後、天皇制と昭和天皇に対する世界の視線は厳しく、宮内省は１９４５年9月に昭和天皇と外国人記者との会見に踏み切ったという。その後、宮内記者会も宮内庁とのせめぎ合いを経て、１９６１年から天皇の定例的な会見の実現に漕ぎ着けた。背景にあったのは、皇室が祭り上げられ、国民と隔絶された時代への深刻な反省だったとしている。

だが、「各国王室事情」に力を得て、宮内庁は近年とかく会見や質問数を厳しく制限し始め、かつてのような自然な会見は影を潜め、天皇会見での質問も制限されるようになったと、岩井さんは書いている。特に雅子さまは、長期療養を理由に長らく会見に応じない状態が続いてきた。眞子さん、小室さんの結婚会見でも、雑誌記者会からの質問には応じないといった方針が物議を醸した。

日本の皇室とよく比較されるのが、Instagram などSNSを駆使して日常を伝えている英国王室の広報戦略だ。The Royal Family というアカウント名で運用されている Instagram のフォロワーは1000万以上、故・エリザベス女王の在位70年を祝うプラチナジュビリーの際には、パディントンと共演したショートフィルムが YouTube にアップされた。

だがかつては英王室の広報戦略もこれほどオープンではなかった。転換点は1997年、ダイアナ元妃の悲運の事故死。すでに王室を離れているという理由で対応をしなかったエリザベス女王に対して、国民から大きなバッシングが起きたことから、積極的に情報発信をする方向に大きく舵を切った。

その英王室に対して、情報発信力が貧弱で、姿が見えにくいと指摘されてきた日本の皇室だが、2023年度の宮内庁予算の概算要求の中に、SNS担当の参事官ポストの新設と職員二人の増員が盛り込まれたことが話題になっている。「雅子さま『母娘インスタで私生活公開』愛子さまと10月始動！　愛される皇室改革」（『女性自身』9月27日・10月4日号）と盛り上がる報道の一方で、「公式皇室SNSが抱える『炎上リスク』と『眞子さん（30）の教訓』」（『週刊女性』9月20日号）と懸念する報道もある。

SNS活用に踏み切る背景について、「週刊女性PRIME」は、「宮内庁は（中略）もっと積極的に情報を発信する必要があると考えたようです。その根底には、眞子さんへのバッシングが相次いだ〝小室事変〟への対応に後悔があるのでしょう」という全国紙社会部記者のコメントを紹介している。

先の慶應大学教授の山本さんは憲法の専門家だが、憲法という観点からいくつかの懸念があるとする。

「政治的権力を憲法上否定された、日本の『象徴』天皇という特殊性から考えると、天皇は直接言論空間に出てこない方が、健全だという考えもあります。直接、言葉を発した場合の方がさまざまなリスクが考えられ、これまで想定していなかったような問題も起きうる可能性もあります」

今後、天皇をはじめとする皇室は、国民とどうコミュニケーションをしていくのか。眞子さん、小室さんの結婚報道は、皇室の情報発信のあり方を含め、皇室と国民の関係性にまで及ぶ根本的な問いを投げかけている。

【注】

＊1 「平成皇室は「皇太子への憂鬱」から始まった」文春オンライン（https://bunshun.jp/articles/-/7281）

【参考文献】

矢部万紀子『美智子さまという奇跡』（幻冬舎新書、2019年）
矢部万紀子『雅子さまの笑顔――生きづらさを超えて』（幻冬舎新書、2020年）
文藝春秋編『秋篠宮家と小室家』（文春新書、2022年）
文藝春秋編『皇太子と雅子妃の運命――平成皇室大論争』（文春新書、2010年）
森暢平『天皇家の恋愛――明治天皇から眞子内親王まで』（中公新書、2022年）
江森敬治『秋篠宮』（小学館、2022年）
岩井克己『宮中取材余話　皇室の風』（講談社、2018年）
鳥海不二夫、山本龍彦『デジタル空間とどう向き合うか――情報的健康の実現をめざして』（日経プレミアシリーズ、2022年）

＊Twitter 分析協力　加藤穂香

特別対談

01

イギリス王室と皇室は何が違うのか？

君塚直隆、小島慶子

君塚直隆　きみづか・なおたか

1967年東京都生まれ。立教大学文学部史学科卒業。英国オックスフォード大学セント・アントニーズ・コレッジ留学。上智大学大学院文学研究科史学専攻博士後期課程修了。博士(史学)。東京大学客員助教授、神奈川県立外語短期大学教授などを経て、関東学院大学国際文化学部教授。専攻はイギリス政治外交史、ヨーロッパ国際政治史。著書に『立憲君主制の現在』『悪党たちの大英帝国』(新潮選書、前者は2018年サントリー学芸賞受賞)、『エリザベス女王』(中公新書)、『王室外交物語』(光文社新書)、『イギリスの歴史』(河出書房新社)他多数。

権利と責務

小島慶子（以下、小島）　眞子さんとその結婚相手の小室圭さんに対して報道やネットの書き込みが加熱し、いまも続いています。テレビや雑誌、ウェブメディアがいろいろ書いただけでなく、今はそれに誰でもコメントを書き込むことができます。SNSでは何を言ってもいいんだ、という空気がありますね。君塚さんは著書『立憲君主制の現在』などで、国民の側も皇族や王族に対し、「寛容になる必要がある」と指摘しています。皇室バッシングは過去にもありましたが、現状も寛容どころか、批判と誹謗中傷の的となっています。なぜこんなことになっているのでしょうか。

君塚直隆（以下、君塚）　順を追って説明しましょう。これは権利と責務の意識の問題だと思うのです。いま、『貴族とは何か』という本も準備しているのですが、そこでも次のように強調しています。

いまから200から300年前、市民階級の人たちは、抑圧されたり弾圧されたり、税金を搾り取られたりしていた。にもかかわらず政治的発言権が全然なかった。そういうなかで革命が起き、人権を勝ち取ったという歴史が欧米にあるわけですね。

アメリカ独立革命、フランス革命、ロシア革命もそうです。おそらく、そういった国々の学校教育では、「いま私たちの権利があるのは、私たちの祖先が血の代償として勝ち得たんだよ」と教えられたでしょう。それほど人権は尊かったのです。ところが徐々にその権利や人権が大切なものだという感覚が風化してしまっている。

もう一つ権利には必ず責務、dutyあるいはobligation、noblesse oblige《ノブレス・オブリージュ》とが伴うわけですが、そちらはみんな忘れてしまったかのように、権利ばかりを言うようになってしまった。

日本でも選挙権はたんなる権利だと思われているから、みんな平気で棄権してしまう。だから国政選挙で投票率はだいたい50%前後、参議院だと40%台のこともある。もし全員が選挙に行けば結果が逆転する可能性がいくらでもあるわけですが、その権利をみすみす放棄し、責務そのものも果たしていないと思います。

日本の場合、第二次世界大戦は別に選挙権を得るための戦争じゃなかった。選挙権はそのあと、マッカーサーによって、いわば天から降ってきたわけです。負け戦で原爆が落とされ、東京大空襲があり、祖先の血のおかげでいま私たちの選挙権があるのですが、それが戦争の目的ではなかったので、学校の歴史ではそういうことをいっさい教えないわけです。

小島　権利と責務ですか。私たちがいま手にしている権利は、ぼんやりしているとかつてのように奪われかねない。だからそれをしっかり行使して、民主主義のもとで一人ひとりの命が等しく大切にされる社会をみずから維持していかなくちゃいけない。そういう責務があるということですね。

君塚　そうですね。ただ、それだけではなく、やっぱり民主的で健全な社会を作ろうという責任の重みが忘れられているように思うんですね。率直に言うと、例えばいまのSNSっていうのはまったくの無責任なんです。みんな匿名だから。それでいつの間にか、何を言ってもいいという感覚になってしまう。

小島　自分の発言に対する責任、ということですね。この言葉が社会にどのような影響を及ぼすかということまで考えて発する責任があると。

君塚　おっしゃる通りだと思います。表現の自由だとか言論の自由だとか、それについて権利しか言わない。発言する自由や表現の自由の背後には、ちゃんと責任があるわけです。だから私たちは、仕事では実名を出して書き、何かあった場合は責任を取る。ところがSNSではそれがいっさいない。とくに実名で書いていない場合には、なんでも垂れ流しし、時には相手を傷つけてもいい、それも権利なんだというふうに、権利の意味を履き違えてしまっているわけです。

実は低投票率の問題の根底にあるのも、この権利ばかりを主張し、本来それと表裏一体であるはずの責務とか責任というものをいっさい考えない、そのような傾向だと思います。

小島　なるほど。ネットへの心ない書き込みで発散するだけで、市民としてきちんと社会に関わる責任は放棄していると。誰かをよってたかっていじめて憂さ晴らししてもいい社会になったら、自分自身も安心して暮らせませんよね。ネットのコメント一つ書き込むのでも、いいねやシェアをするのでも、社会への影響を考えることが必要なのに、そうなっていない。同様に、安心して暮らせる社会を維持するには、面倒でも投票に行くとか、政治に関心を持つとか、社会の当事者として責任を持って行動しないといけないわけですが、それを果たさず、意思決定は人任せにしてしまう。そればかりか、民主的な社会を維持する責務を「国家権力に従順に奉仕する責務」と勘違いしている人もいます。お上から権利を与えてもらっているなら、ちゃんと権力者の言うことを聞きなさいという人もいる。権利は人々が国家権力に蹂躙《じゅうりん》されないよう、歴史の中で獲得されたものなのに。

君塚　私が強調したいのは、国に対する奉仕というよりも、もっと大きな意味での奉仕です。たんに国家に対してではなく、周辺の共同体、あるいは家族、道徳。そういうものがみんな忘れられていないか。とくに日本人にその傾向が顕著じゃないか、と。もちろん海外も同じようですが。

小島　その不断の努力によって、民主的で人間が大切にされる世界が保たれるということですね。ただ洋の東西を問わず「皇族や王族は特権階級で、帝国主義の遺物だ。民主的な社会を否定する存在だ」と考える人たちもいます。英国では若い世代の王室離れが顕著ですね。日本でも、皇室は生まれながらに特権を与えられて甘い汁を吸っているのだから、自分たちはそれを「叩く」権利があると主張する人たちがいます。

君塚　そのあたりも全部錯綜しています。

確かに皇室には、特権と言える部分はあると思います。いまニューヨークに住んでいる眞子さんと小室圭さんだって、はたからみればそうですよね。各国の王族は、ある意味では特権を持っている。ただ、その代わり責務をすごく果たすわけです。しかし、それがなかなか一般の人にはわかりません。

イギリス王室の広報

君塚　とくにイギリスの場合、一般の国民のほとんどが王室について誤解していた。それがチャールズ皇太子（当時。現在のチャールズ3世国王）と離婚したダイアナ元妃が交通事故で亡くなったとき（ダイアナ事件）に明らかになったんです。

国民は、王族は税金でいいものを着たりいいものを食べたりしている。それなのにチャリティなんか何もやってないじゃないか、と思っていた。ところが実際には、税金はビタ1ペニーとも使っていなかったし、さらにチャリティについていえば、いまから300年近くも前からずっとやっていたのです。

ヴィクトリア女王の祖父にあたるジョージ3世の時代から、王室が続けていたチャリティ活動は、どんどん増えていって、先日亡くなったエリザベス女王も96歳にして600の団体のパトロンを務めていた。王室全体で18人くらいですが、チャリティ団体をはじめ合計3000の団体のパトロンをやっています。そのあたりのことを、国民は全然知らなかったんです。広報が足りなかったからです。

世界的な人気があったダイアナがパリで事故死をしたあと、エリザベス女王がダイアナが王室を離れていたのでその慣例にのっとって、直ちには弔意を示さなかったために批判を受けて、王室は無条件で国民に受け入れられているのではないと気がついた。

それ以降、自分たちが何やっているのか、自分たちには確かに特権があるかもしれないが、それに見合うか、それ以上の責務を――まさにnoblesse obligeですね――果たしているんだということを、しっかり伝えるようになったわけです。

自分たちの情報をホームページだとか、21世紀になってからはSNSを使って伝えるようになり、ようやく国民にも王室の現実をわかってもらえるようになったんですね。

小島　そのエリザベス2世の父親のジョージ6世が、戦争中にラジオで国民に呼びかけたという話は、私も映画『英国王のスピーチ』で見ました。

君塚　あの映画は実話です。彼は実際に吃音で悩んでいた。兄（エドワード8世）は無責任で、逃げ出してしまって、そのあとをジョージ6世が継いだ。そんな、人前に出るとすぐに上がってしまうような人が、第二次世界大戦開戦のときにそれはもう必死になって訴えたのです、真面目だから。ちなみに彼の娘（エリザベス2世）も父親にそっくりなんですよ。とても真面目で、じつは人前に出ると緊張するほうなんですね。

小島　エリザベス2世は、かなり若い時からのテレビの映像が残っていますよね？　逝去のニュースでは、まだ王位を継ぐ前、プリンセスだった21歳の時に、人生を公務に捧げる決意を語った映像が繰り返し流れました。亡くなった時には、一連の国葬の儀式が中継されましたね。私もBBCで見ていましたが、全ての公開儀式を終えて、最後に女王の棺が教会の床面まで静かに降下する様子までが放送されました。女王として即位し、死してその王冠を還すところまでを世界中の人々が生放送で目撃したのは前例がないのではないかと思います。ちなみに女王の結婚式の映像は……。

君塚　それはないんです、結婚のあと、いわゆる戴冠式はテレビ放映されましたね。

小島　彼女は王位に即《つ》いた時から、いわゆる「見える君主」として、メディアを積極的に使ったのですね。

君塚　1952年から毎年、国民に向けたクリスマス・メッセージを発信しています。

小島　先述のダイアナ事件はそれをさらに現代的に、より大衆に訴える形で進化させることになった節目だったと思うんですが、イギリス王室はそれ以前からメディアを使って国民との距離を縮める試みをしてきた。これは、当時としては各国の王室のなかでも先進的だったんでしょうか。

君塚　一番早かったですね。戴冠式のテレビ放映をやろうと言ったのは、昨年亡くなったエディンバラ公（エリザベス女王の夫）だったんですよ。お母さんのクイーン・マザーは反対でしたが、結果的にはやってよかった。1950年代が終わる頃には8割以上の家にテレビが普及したので。

その後テレビを通じた広報活動をどんどん増やし、1969年には、『ロイヤル・ファミリー』というドキュメンタリーで映像を流しています。

小島　ダイアナ妃の事故が起きた当時は労働者階級の鬱屈が溜まっていて、王室での彼女の不幸な境遇に共感した市民が多かったそうですね。現在は、ハリー王子とメーガンさんのサセックス公爵夫妻をバッシングする人々と、擁護する人々がネットで対立しています。

君塚　むしろ、ダイアナ事件の教訓で、国民は王室のあり方を理解したのだと思います。今年はちょうどダイアナ事件から25年、4半世紀になります。そんなときにメーガンとハリーの事件が起こった。この25年間で、王室の責務、チャリティなどの様々な活動をしていることを、国民もわかってくれたんですよ。だからこそ、ハリーとメーガンに対しては、イギリス国民のほとんどがそっぽを向いている。女王が1年間の猶予を与えたんですが、それでも二人は戻ってこない。その結果、殿下の称号の剝奪や関わっていた慈善団体からも身を引く、ということになりました。
イギリスの世論調査を見ますと、「女王の政策を支持しますか」という質問に9割の国民が「支持する」と答え、ハリーとメーガンが悪いという意見が8割くらいです。これに対して、二人を擁護しているのはアメリカなんですよ。オプラ・ウィンフリーのような人の影響もかなりあって、ウィンフリーの「告発」を鵜呑みにしていますからね。
実際、去年亡くなったエディンバラ公は、2017年に96歳で引退を表明しましたが、そのとき785もの団体のパトロンを担っていました。当然この引退のあと、息子や娘、あるいは孫にそれらの団体を引き継いでいくわけです。その一部はハリーが引き受けたのに、それも全部投げ出して彼はアメリカに行ってしまった。これを国民はわかっているんです。

小島 ハリー王子の結婚の際、メーガンさんがアメリカ人で、母親が黒人であることが大きな話題になりましたが、離婚歴があるということについてはどう見られていたんでしょうか?

君塚 それについては、この80年のあいだに見方がずいぶん変わりましたね。もう全然時代が違いますから。ジョージ6世のお兄さんが離婚歴のある女性と結婚した1937年では、一般市民でも離婚する人は少なかった。いまは逆です。離婚を経験する人のほうが、王室のなかでも多いですよね。異なる人種とのあいだの結婚という点についても同様です。ハリーは1984年、メーガンは1981年生まれですが、彼らが生まれた1980年代の初頭には、異なる人種間での結婚に違和感を抱く人がまだ

50%以上いたんです。ところが、2012年くらいの世論調査では、これに対して違和感を抱くという立場の人は全体の15%ほどにまで減っています。

小島　結婚の時は祝福ムードでしたよね。多様性を増す英国社会を象徴しているという肯定的な見方でした。それだけに、英国民はサセックス公爵夫妻が王族としての責務を放棄したことに対して怒っているということですね。

君塚　そうです。私もむしろ、結婚したときにはよかったなと思っていました。また新しい人種が王室に入ってくれて。コモンウェルス（旧英連邦諸国）だって黒人をはじめ非白人の人が多い。そういう人たちのところに、ハリー夫妻であれ生まれたお子さんであれ、王室が今後どんどん行ったら、さらに親近感を抱いてくれる可能性もあったと思います。

彼らの問題はむしろそのあとの態度だったんですね。自分たちが責務を放棄して、王室には人種差別があったなんて言う。実際には、王室ほど人種差別を嫌っているところはないのに、です。そうじゃなければコモンウェルスなんて束ねられませんからね。

イギリスと日本

小島　日本の皇室も国民に寄り添う「開かれた皇室」を目指してきましたが、イギリスの王室に比べると、まだ閉じた印象ですね。

君塚　率直に言うと、日本の皇室は、ここまで話してきたイギリス王室のような責務については何もやっていないに等しい。それほど単純な話ではないですが、数字だけ見ても違いは歴然です。

イギリス王室は18人くらいで毎日公務にあたっています。その18人で3000もの団体を担っている。これに対して、日本の場合は15人くらいの皇族がいますが、その15人で、全部合わせていくつの団体の総裁とか会長——イギリスでいうパトロンです——をやっているかというと、90くらいです。まったく桁が違うわけです。しかも、公務の担い手がとても偏っている。ようやく若い女性の皇族たちも担うようになってきましたが、それでもほとんどやっていないんです。1週間のスケジュールが空き空きなんですね。

それから、SNSでも彼ら、彼女たちの活動は全然広報されていませんよね。だから国民は、皇族は、何やってんだ、と思う。皇族って何なんだろうと。そして実際に調べると、何もやっていない。それなのに税金を払わなくてもいいなど、「特権」があります。だから、不満を持つ人たちがたくさん出る。

小島　それはつまり、宮内庁のメディア戦略の失敗ということでしょうか？

君塚　宮内庁の仕事ぶりは率直に言ってひどいものです。そもそも皇族に責務を負わせてない。私も何人か皇族の方を知っていますが、本人たちは仕事をしたがっています。例えば眞子さんが皇室を辞めるとき、わずか二つの団体にしか関わっていなかった。日本テニス協会と日本工芸会ですね。それに比べて子育て中でもキャサリンさんは、引き受ける団体の数が30から40と、どんどん増えています。

くわえて、宮内庁は皇室を統括していません。つまり、各宮家が独立してしまっていて、横の連携がまったく取れていない。例えばある宮様がもし風邪をひいたら、あるいはコロナに感染してしまったら、その公務はもうなしになってしまう。こういう場合、イギリス王室では、代わりを立てます。実際、アン王女が風邪をひいたとき、弟のアンドリュー王子が彼女の公務を代行しました。そういうのが当たり前なんです。

日本ではどうしてそのようにならないのか。戦後、とくに1990年代から、宮内庁の事実上の位置づけは三流官庁です。宮内庁では1996年から国家公務員試験一種のかたを採用していません。いわゆる「キャリア」を採らず、「ノンキャリア」の人たちばかりです。その人たち自身はやる気があるんですが、上層部はみんな外務省、警察庁、総務省、厚労省といった省庁の人間がやってきます。彼らは4、5年で配置転換される。こうした人たちからすれば、宮内庁とはいわば一種の島流し先です。そうなると官僚の一番悪い癖で、失敗を恐れて、何もしないで過ごします。下から「こうやったらどうですか」と提案されても全部握り潰してしまう。こんなことが25年ずっと続いてしまっている。

眞子さん事件にしても、皇室が眞子さんがどういう仕事をしているか、SNS等で日頃からきちんと発信していたらずいぶん違う結果になったはずです。もちろんそのためには、実際に公務を増やし、これだけのことをやっている、と国民に実感してもらわなければなりませんが。私たちのために、日本のため、さらには世界のためにこれほどの仕事をしてくれている、国民からそんなふうに思われていたとしたら、状況は大きく変わってきますよね。

小島　イギリス王室はInstagramなどの運用が上手ですよね。私もフォローしていますが、かなり頻繁に更新されています。

君塚　それが大事なんです。それこそがダイアナ事件からの教訓です。いま一番人気があるのはキャサリン－ウィリアムですが、彼女たちのインスタも、世界で１４００万人以上のフォロワーがいます。

小島　私もよく見ています。

君塚　毎日どんどん更新していますよね。ファッション情報もありますが、今日はこういう施設に行った、という公務の報告が上がっています。とくにキャサリンさんは、最近では幼児教育、幼児に対する精神的なケアに関して積極的に活動しています。それからアン王女も、彼女がSave the Childrenのパトロンになったのは20歳のときですから、半世紀以上にわたって活動を続けています。

　こういう情報が毎日アップされていくと、そういう組織があるんだ、そういう病気があるんだ、と国民が知るわけですね。とくに若い世代は誰もがインスタを見るので大変な影響を与えるし、やっぱり見る目が変わりますよね。

小島　スタッフも入っているでしょうが、子どもたちの誕生日などには、キャサリン妃自身が撮った子どもたちの写真を上げたりしています。そうやって、ロイヤルメンバーを身近に感じさせる作りになっているのも巧みですよね。同じような形での運用を日本でやろうとすると、スタッフをどうするか、どういう見せ方をするか、果たしてうまくできるんだろうかという気はします。かなり難易度が高いですよね。

君塚　私はむずかしくないと思うんですよ。技術がこれだけ発達していますし、当然やったほうがいい。ヨーロッパの他の国の王室では、すべてイギリス王室をモデルにし、YouTube、Twitter、Instagram、みんなやり始めました。

それで国民に自分たちが何をやっているかをしっかりとアピールし、どんどんファンも獲得しています。

小島　自分で情報を出せるっていうのは強みですよね、メディアに勝手に書かれるだけじゃなくて。

君塚　そうです。それに対して宮内庁はといえばあまりに無策なわけですが、彼らの常套句は二つあります。一つは「先例がない」。もう一つは「金がない」です。でもそれは自分たち自身で作らなくてはいけない。お金だってそうです。日本の皇室は金儲けがあまりに下手なんですね。

イギリスを筆頭にヨーロッパの王室はみんな自分たちで稼いでいます。例えば、１９９２年にウィンザー城が焼けてしまったとき。王室としては修繕費用を税金から支出してほしかったんですが、出ませんでした。王室のスキャンダルが一番ひどい時期だったからです。そこで、イギリス王室はバッキンガム宮殿を一般公開しました。それから毎年、今年は宮中晩餐会、今年はロイヤル・ウエディングといった具合に、テーマを変えて展示もおこなっています。それに合わせてオールカラーの冊子を作ったり、絵葉書その他の収益で、だいたいいままで10億円くらい稼いでいます。

小島　ちょっと余談ですが、コロナ禍で海外からの観光客が減って、観光地の古刹は参拝客が激減しましたよね。奈良の法隆寺も修繕費を捻出するためにクラウドファウンディングをやったりしているじゃないですか。京都の仁和寺では護摩行をインスタライブで公開して、投げ銭システムを導入したりしてて、フォロワーに対するスタッフのリアクションも手慣れています。

SNSの写真もとてもきれいなんです。富裕層向けに境内に日本建築の宿泊施設を作って、仁和寺を貸切にできる一泊100万円のプランを作ってみたり、境内でのアート展なんかをやってて、なかなかおしゃれなんですよね。伊勢神宮や高野山など、いろんな寺社が積極的にInstagram発信をしていて、結構見応えがあるんですよ。コロナ禍を経験して、参拝客だのみではない新たなビジネスを模索しているのでしょうが、結果としてデジタル媒体での発信や、他業種とのコラボなどでイメージが刷新されてファンが増えることもあると思います。

君塚　まさに皇室にもそういうことが必要なんです。バッキンガム宮殿の公開と収益化がうまくいったので、ウィンザー城も同じことをやるようになりました。スウェーデン、ノルウェー、デンマークの王室もそれに続いています。夏に、自分たちが避暑に行っている間、一般公開して収益を上げ、それを例えば修復費用やSNSでの広報活動に充てています。

皇居だって同じことができるはずです、皇族たち自身は滅多に使わないんですから。例えば皇居にある国宝がたくさん納められている三の丸尚蔵館、いまは無料で公開されていますが、ここもお金を取ればいい。文字通り宝の持ち腐れですよ。

広報の必要性

小島　しかし皇族は、果たして自身での発信を望んでいるんでしょうか？

君塚　とくにいまの天皇陛下は強く思っていると思います。コロナ禍の2020年4月5日に、エリザベス女王がBBCに出演しました。ちょうどそのとき、ボリス・ジョンソン首相もコロナに感染して危篤状態となり、チャールズ皇太子も感染していた。そこで女王がバーンと出てロックダウンで辛い思いをしていた国民に語りかけました。その晩のテレビ・ニュースだけでも2400万人が生で見て、全部YouTubeに公開されたので、若い人も見ることになった。そういう国民へのメッセージというのは、ノルウェーの国王もデンマーク女王もみんなやっています、共和制の国であっても。

主要国でやらなかったのは日本だけですよ。あのとき、天皇陛下もおやりになりたかったのだと思います。でも結局、メッセージは出されませんでした

小島　そういうコミュニケーション不足が、皇室に対する国民の不信感や、何かあったら叩いてやろうというような気持ちの源にあるのかもしれませんね。

君塚　そうです。戦後日本の教育にも問題があると思います。憲法については、中学高校の公民や政経、倫理や歴史の授業で扱いますが、天皇についてはほとんど触れられていない。憲法については6条、7条の天皇の国事行為なんてすっ飛ばしてしまう。ほとんどの国民にとって、天皇は何をやっているのかわからない存在のままです。

小島　私は1972年生まれですが、1930年代生まれの両親は戦争を経験した世代で、焼夷弾の中を生き延びました。だから私は、昭和天皇に対しては複雑な思いがありますが、両親と同世代の先代天皇・皇后（現上皇・上皇后）が貫いた、平和を祈る、戦没者を悼む、という活動には敬意と共感を覚えています。

20代の頃にサイパンに遊びに行ったんですが、

たまたま戦後50年だったんですよ。それも知らずに旅行を計画したわけですね。米軍に蜂の巣にされた要塞が残り、多くの人が追い詰められて「天皇陛下万歳」と言いながら身を投げた崖、バンザイ・クリフがある土地で、自分は呑気にビキニを着て海に潜って遊んでいる。さすがに罪悪感を覚えました。だけど70年代生まれの平和で豊かな日本しか知らない私は、どうやって犠牲になった方々に報いていいのかもわからない。とても後味が悪かったんです。

それから10年後の戦後60年(2005年)に、天皇皇后両陛下(当時)がサイパンで海に向かって頭を下げて祈られたのを見て、その姿に付託する形でやっと自分も戦没者に詫びることができたという感覚になったのです。勝手な付託といえばそれまでですが、でもそういう、多くの日本人が日常生活に忙殺される中で棚上げしているものってあると思うんです。戦争犠牲者の追悼や、災害の被災者に心を寄せること、伝統文化を継承する責任とか。戦後の、特に平成の皇室って、人々がそういうものを上げておくクラウドのようなものでもあったと思います。今の上皇上皇后のお二人は生涯をかけてそれを背負われたという気がするんです。天皇の名の下に払われた多大な犠牲の上にある戦後民主主義社会の尊さを、それを当たり前とせずに語ろうとする意志も言葉の端々から感じました。

それが代替わりして、じゃあ今の天皇皇后は何のために祈る人たちなんだろうというのが、すごく見えづらくなってしまった。究極に閉じられた皇室祭祀《さいし》の祈りだけでは、もう存在意義がわからなくなっている。先代を踏襲して見える形で人々のために祈る姿も、戦後生まれの今上天皇皇后のお二人では先代ほどの説得力を持たないですし。

君塚　もう祈らなくていいと私は思います。もちろん戦没者の追悼はちゃんとしてほしいですが。いまの上皇・上皇后、明仁・美智子のお二人は、昭和の時代と比べても公務のハードルを上げてしまった側面がある。つまり公務をたくさんやるようになったんですが、そこには二つの柱があります。

一つが小島さんがいまおっしゃった、太平洋戦争の戦没者に対する慰霊、それからもう一つが、これはたまたま平成の時代に多かったのですが、自然災害発生地への慰問ですね。もちろん自然災害は起こってほしくないですが、起きてしまったら仕方がない。しかし、太平洋戦争のほうは、もうそこまでやる必要はないと思います。世代があまりにも違いますから。明仁さまは昭和8（1933）年、美智子さまは9（1934）年、戦前の生まれで、戦争も体験している。そしてなにより先代の昭和天皇は、戦犯扱いを受けたので慰霊はできなかった。お二人は、自分たちは責任持ってやるということで実際おやりになったわけですね、30年間。

小島　今の天皇皇后にはまた別の歴史的な役割や責務がある、と？

君塚　そうです。例えば地球環境問題はこれからの時代の重要な課題だと思います。天皇陛下は、皇太子の時代から水問題に取り組んでこられましたね。

皇后陛下は子どもに対する虐待や貧困の問題に関心があるそうです。そういう領域で仕事をしている先達は、ヨーロッパにはたくさんいるんです。例えば、スウェーデンのカール16世グスタヴの妻、シルヴィア王妃がそうです。この人は、父親がドイツ人で母親がブラジル人の普通の平民、貴族ではありません。彼女は1999年に「世界子ども財団」というのを立ち上げています。これは児童ポルノの禁止、子どもに対する虐待の禁止を世界的に推進する組織です。この活動には、ヨーロッパ中の女王、王妃、王女たちがすぐに賛同し、そこで各国の王室の女性たちを結ぶネットワークができました。そして各地に支部もできた。例えばこれに、日本の皇室の女性もコミットできるじゃないですか。

それからさっき言ったSave the Childrenはもっと歴史が古く、1919年に立ち上げられてもう100年以上経っています。Save the Children Japanだって1986年から日本にあるわけですね。ところが皇族の誰もパトロンになっていない。総会にちょっと顔を出すだけです。皇后陛下にパトロンになってもらえばいいじゃないですか。そういうふうにどんどんコミットしていけば、世界の王族ともネットワークが繋がります。

小島 もしそうなったら、グローバル時代の皇室として、存在意義が更新される感じがしますね。

君塚 そもそも多くの日本人はSave the Childrenを知りません。もし皇室が関われば、知られることになります。皇室とか王室の役割の一つは、そういう意義のある組織だとか、あるいは様々な病気、問題となっている現象など、まだ全然知られていないことに注意を喚起させてくれることです。

小島 王室や皇室とは全然違いますが、今そうした社会課題を解決する活動と大衆をつなぐメディアの役割を果たしているのは、エンタメの世界の人々ですよね。K-POPの人気グループBTSのグローバルなファンが、寄付などで積極的に社会課題に取り組んでいることも話題になりました。

君塚 韓国には皇室がありませんからね。だからある意味、おっしゃる通りアメリカなどではタレントや俳優、歌手などがそういう役割を果たしているわけです。ただ、そういう人たちは人気商売ですから、人気がなくなってしまったら続けられないんですよ。でも、皇室の人たちには、任期もなければ定年も事実上ないですから継続してできるんです。

女性皇族のこれから

小島 今回、眞子さんと圭さんがあれだけ叩かれた背景には、そもそも公務が少ないためにどんな仕事をしているのかわからない、社会的な存在意義が感じられない、という問題があるわけですね。君塚さんがご著書で指摘しているように、女性皇族は婚姻とともに皇室を離れなければならず、その際には大金が支給されるという制度も問題視されています。

結婚相手が旧華族の家系や以前から皇室となんらかの接点のある人物なら世間から祝福され、圭さんのような全くの一般男性の場合は「どこの馬の骨ともわからないやつに血税を渡していいのか」という不満が出てくる。「税金で養ってやっているのだから」と、家父長気取りで女性皇族の縁談に口を出す人が多いことに強い違和感を覚えます。圭さんは一体どんな男なんだという世間の好奇の目に晒され、家族のこともいろいろと書かれて叩かれています。結婚会見での眞子さんの様子が批判されたのも、もう皇族ではない人だから言いやすいという面があっ

たろうと思います。かりに、眞子さんが皇族で

あり続けられるような制度であったなら、国民

の反応はもう少し違ったものになったと思いま

すか。

君塚　皇室典範第12条の問題ですね。女性皇族が男性皇族以外と結婚した場合、籍を離れなきゃいけないというものです。これがいわゆる「臣籍降下」です。これは明らかにおかしいでしょう。皇族が一般人と結婚してはならないという論理を通すならば、現在の上皇も天皇も、一般国民と結婚したのだから皇籍を離れなければいけない。その点でもきわめて問題があるわけですが、これにくわえて、今は皇族の絶対的な人数が減っている。私は女性皇族が結婚後も皇室に留まるようにするだけではなく、その夫や子どもも全員皇族に入る、という形にしないとダメだと思います。

もしも眞子さんが自分は一生皇室に残ることになる、一生国民のために責務を負っていく、という立場で考えていたならば、小室圭氏のような相手はまず選ばないのではないかと思います。

これに関連して、教育の問題もあるでしょう。秋篠宮さまはたぶん、眞子さんと佳子さんに対して、お前たちは結婚したら皇室を出ていくことになる、だから自由にしていいよと、30年間ずっと言ってきたんだと思う。だから結局、結婚も許したのではないですか。

これはたんなる3、4年の問題ではないんです。最初の皇室典範ができたときから、120年間にわたって女性の皇族だけ差別し、一般国民と結婚したら皇室を出ていくというルールにしている。現在のものは、昭和22（1947）年の皇室典範ですが、内容は明治

22（1889）年のままです。私がいつも眞子さんの問題で取材を受けるときは、時間のピラミッド構造だと言っています。一番下の層が、明治から変わらない戦後70年です。その上の30年間の秋篠宮家による教育の層があり、さらにその上に、眞子さんご自身の行動や選択の層がある。そういう時間のピラミッド構造です。

小島　秋篠宮家は、お子さんがたを皇族の教育を担ってきた学習院には入れず、独自の教育方針をとっていますね。秋篠宮ご夫妻がそれまでの皇族のやり方を踏襲しないのにはどのような理由があるのでしょうか。

君塚　それは本当に不思議ですよね。あのお二人は学習院の出身だし、紀子さまのお父さんは学習院の教員を務めていました。しかも紀子さまは大学院まで行っている。ですから、何か嫌なことが自分たちの体験の中であったのか。あるいは自分たちはもっと上の大学、違う大学を目指すという考えなのか。それは新しい形であり、同時に何を意味するかといえば、やはりご本家に対する対抗意識なのかもしれない。つまりお兄さんの一家に対する対抗意識です。

小島　それは、今の皇后が極めて高い学歴とキャリアの持ち主であることと関係していますか？　雅子皇后も紀子妃も幼少期に米国などで生活した経験がありますね。日本に帰国後、紀子妃は中学から学習院で一貫教育を受け、同大学院在籍中に礼宮（現秋篠宮）と婚約。雅子皇后は小学校から田園調布雙葉学園で学んだのち、高校から再び米国で暮らし、ハーバード大を卒業。日本に戻って東大に学士入学し、在学中に外交官試験に合格して外務省へ。その後、研修で英国オックスフォード大に留学しています。

君塚　紀子さまの対抗意識は、おそらく強いだろうと思います。雅子さまとその一家に対する対抗意識。もちろんご本人は何も言いませんからわかりませんが。

私は皇族は学習院に入らなければならないとは思いません。ただ、皇族が学習院に行くことでのよい部分はあります。とくに小学校からの同級生たちは、皇室っていうのはこういうものなんだ、大変なんだと実感できるんですね。だからこそ妃候補になると逃げてしまうケースが多いわけですが。

小島 皇族は生活に制約が多く、意思表示もむずかしいとされている中で、眞子さんは最後の会見で自身の意志をかなり明確に述べていました。

君塚 私は嫌だったから見なかったんです。それで噂だけ聞いたんですが、「いわれのない物語」などと言ってマスコミを非難して、言ってしまえば捨て台詞を吐いて出ていったようなものでしょう。会見というより一方的に話しただけで。

小島 私は会見を見て、好感を持ちました。誰かが書いた原稿を読まされている感じではなくて、ご自身で考えて、伝えたいことを述べているのだな、という印象でした。従来の皇室の人々の話し方とは違いますが、メディアの過熱報道に対してただ黙って耐えるというのも今は得策ではないようにも思います。好きな人と共に、自分の意志で人生を歩きたいという思いは一人の若者として当然でしょう。結婚して皇室を去る女性にとっては、皇族ではない立場で生きる人生の方が長いのですし。あの会見は、これまでの皇室とメディアとの関係に一石を投じる新しい世代の試みでもあるなと感じました。

君塚 それはどうなのかなと私は思うんです。

眞子さまよく言った、というご意見はよくわかります、皇室典範12条がありますからね。しかし、もしそういう差別的な規定がなかったとしたら、皇族である以上、女性も責務を負い続けなくてはいけないわけです。そうであれば、「自由になりたい」ということはそもそもありえない。とはいえ、現行の法律のもとではおっしゃる通りです。

小島　結婚したら皇室を離れなくてはならない女性皇族はもとより、君塚さんが指摘されているように、男性皇族も、もっと存在感を示すことができるはずなのに十分な機会を得られていない。国民からは「あの人たちは何もしていない、なのに不自由だなんだと文句だけ言っている」と見られてしまうと。

君塚　昭和が終わったあたりくらいから、どんどん公務の数が減ってしまいました。その一方で、現在の上皇と上皇后の公務はどんどん増えてしまった。今一番忙しいのは、おそらく高円宮《たかまどのみや》の久子さんですね。繰り返しになりますが、皇室のなかで明らかに負担の偏りがあります。皇室の全体の仕事量は、もっと増やせるはずです。

小島　久子妃は写真やエッセイを雑誌に寄稿されたりもしていますね。ヒゲの殿下こと寛仁親王（2012年に逝去）の長女・彬子さまは、研究者として大学の教壇にも立っています。

君塚　ちなみに彬子さまの妹の瑶子さまは、昔から剣道をやっていたり、障害者の施設にもたびたび行かれたりしています。だから、この人にパラリンピックの委員長をやってもらうだとか、少し考えればアイデアはいくらでも出てくるはずです。それから、彬子さまは日英の美術を研究されていますよね。

小島　そうですね、それでメディアに寄稿されたり、学生さんと触れ合ったり。

君塚　ですから、佳子さまじゃなくて彬子さまが日本工芸会総裁をなされればいいと私は思いますね。しかし宮内庁にはそういう適材適所という発想がまったくない。

小島　そうですか。女性皇族が結婚したくない、独身でいいというお考えの場合、終生皇族であり続けるという可能性もゼロではないですよね。そうなった場合には、女性皇族としての新しい姿を示すことになるかもしれません。キャリア形成という視点で見ると、結婚するとそれまでやっていた総裁などをすべて降りなきゃいけない女性皇族は、キャリアが断絶せざるをえない。もったいないですね。

君塚　それが変わったのが高円宮絢子さん、今の守谷絢子さんです。彼女は、日加（日本カナダ）協会の総裁はそのままやっておられますね。結婚相手の守谷慧さんは（小室圭氏と）同じ「ケイくん」なのに全然違う（笑）。ああいう人が新たに皇族になればいい、お二人にはお子さんも生まれましたが、その子も皇族になってくれればいいと思います。それが一番理想的です。守谷さん本人は、ずっとボランティア活動をしています。お母さんもカンボジアなどでボランティアをやっていますね。

小島　このところ週刊誌では、佳子さまの結婚を巡る憶測が盛り上がっていますね。

君塚　ですからちゃんとSNSなどを使って、こういう報道がございましたがこれは違いますとか、どんどんTwitterなんかで公式に発表したらいい。

小島　佳子さまが学生の時にステージでダンスを踊ったとか、豹柄の服を着ていたというだけで、「大胆だ」などと書かれました。プリンセス幻想というか、あまりにも優等生を求めすぎなんじゃないかと。

君塚　そういう声もあっていいと思いますよ。世界中いくらでもあります。皇室には、一方では、そういうのも笑い飛ばせる余裕がなきゃいけない。もちろん誹謗中傷はダメですが。

小島　バッシングのこともあってか、眞子さんは小室さんと海外に出たいという気持ちが強かったようですね。これからは、好きな人と海外に行って現地で職を得て働き、なんなら離婚しても一人で外国で生きていけるような生き方をする元皇族女性がいてもいいんじゃないでしょうか。

君塚　ただ、あの学芸員はあくまでも無給なので、お金は稼いでない。そもそも国内で学芸員の経験も、実績もありません。しかも、自分の名前で日本からお宝をメトロポリタンに持っていった。そういう「特権」がなければ、学芸員のポストもなかったでしょう。だから、実質的にはいいように使われている。もちろん、おっしゃる通り、自分の腕一本で稼げるぐらいの能力があったら、話は違いますよ。

情報の透明性

小島　小室圭さんについて言うと、もちろん実家の金銭トラブルの影響というのがあるとは思いますが、なぜ彼はあんなに嫌われてしまったのでしょうか。

君塚　現状について自分の言葉でいっさい発信しないのも問題です。言明、釈明をしっかりやっていない。

小島　母親の金銭トラブルと言われている事柄

について28ページに及ぶ説明文書も発表しましたが、人々の心証は変わりませんでした。効果的な発信ができなかったということでしょうか。

君塚　まさに広報不足です。当時はほんとに必死になってニューヨーク州の司法試験の受験勉強をしたんだと思う。だからこれが終わるまではちょっと勘弁してください、というふうにひとこと言えば、国民の反応は全然違ってきますよね。

例えば、ノルウェーのホーコン皇太子のお妃は、メッテ・マリットさんという普通の庶民ですが、彼女には離婚歴があり、連れ子がいます。しかも、前の夫はとんでもないマフィアのような人間で、彼女自身もマリファナ・パーティーに出ていたことが、結婚する前に明らかになった。普段ノルウェー王室は80％以上の支持率を得ているのですが、それが40％台にまでガクンと下がりました。ほとんどの国民は、この結婚に反対だったんですよ。結婚の3日前に記者会見で、メッテ・マリットさんは、「マスコミで言われていることは本当です、過去は消せません、でも未来は築けます」そう語りました。すると一気に支持率は上がり、国民全体からの支持を受けて、いまはもう国の顔ですよ。

もう一つ例を挙げれば、いまのオランダ王妃、マキシマさんです。この人はアルゼンチンの方なんですが、父親が独裁政権のときの大臣だったんです。ただ、虐殺などにはかかわっていなかった。オランダでは王族の結婚には議会の承認が必要で、一部反対はあったものの、承認は得られました。ただし、結婚式に父親は参加してはいけない、という条件つきです。それでも、いまは王妃として国の顔になっています。やはり、国民と正面から向き合うことが大切です。

眞子さんと圭さんにはそれがない。

小島　イギリスでは、ハリー王子の妻メーガンさんがアメリカの著名な司会者オプラ・ウィンフリーの番組で、「長男アーチーを妊娠中に、生まれてくる子どもの肌の色について王室メンバーが人種差別的な発言をした」などと告白して注目されましたね。エリザベス女王の国葬ではウィリアム王子夫妻とハリー王子夫妻が四人で人々の前に登場して話題になりましたが、両夫妻の亀裂は深いと報じられています。アメリカを拠点にしているハリー王子夫妻は、国民を裏切ったと見られているのでしょうか。

君塚　イギリスに戻ってきて、自分に対して批判的な相手と面と向かって議論したら、かなり違ったと思いますよ。

国民に対してしっかり正面から自分たちの考えを伝える。それは王族や皇族ではなく、政府も同じです。国民に対する説明責任を果たさなければ信頼されません。国民だって、そういう正面から向き合う姿勢を見れば、ああそうだったのかと見直す部分もある。あるいは場合によってはもっと評判を下げるかもしれませんが、それを恐れないでやらないとダメなんです。

女性天皇の可能性

小島　もう一つ、君塚さんがかねて指摘している大事なポイントは、女性による王位継承についてです。女性が王位を継げないのは、世界でも日本の皇室と中東の王室ぐらいだと。このままでは皇室を維持できないという現実がありますよね。イギリスのエリザベス女王逝去の際に、BBCで有識者が語っていた話が印象的でした。「70年前に女王が即位した当時の英国では、女性は男性の補助的な存在で、家庭に入って家事と育児をするべきだと思われていた。でも若き女王の姿は女性によるリーダーシップの新たな形を世に知らしめ、女性たちを励ました」との旨でしたが、いまだにジェンダーギャップが大きく、女性が皇位につくことも認められていない日本の現状を思わずにはいられませんでした。天皇になれるのは男系男子のみという決まりは明治時代からですし、当然過去には女性天皇がおり、その評価も近年では単なる中継ぎではなかったという見方がされています。今の時代の流れの中で女性天皇が誕生することは、単に皇室の存続のためだけでなく、皇室の存在意義について国民が肯定的に捉える契機にもなると思うのですが。天皇は政治的な権力は持たないですが、社会への影響力はあります。国の象徴のポジションに女性がつくということは、やはり人々の意識を変える一つのロールモデルになりうるはずですよね。

君塚 そうだと思いますよ。よく「天皇の政治利用」なんて言い方を日本ではしますけど、当たり前なんです。日本では憲法6条、7条に天皇の政治的役割が明記されて、国事行為、首相を任命する、国会を召集する、大臣の認証式をおこなう。つまり本質的に政治的な存在なんです。ちなみにスウェーデンの場合は、まさにそのような政治的役割を王室からすべて取り上げています。しかし日本の皇室はそうではない。

小島 君主が男性である場合と女性である場合では、象徴としてのあり方にも違いがあるでしょうか。

君塚 あえてジェンダーに目を向けるなら、男というのは、どうしても政治が脂ぎってしまいますよね。女性の場合は、そこにワンクッションあるような、もう少しソフトでしなやかな関係ができる。印象として、女性君主は、本当の意味での公正中立というか、党利党略に関係ないようなところで動けるという印象はありますね。

小島　戦争責任が問われる昭和天皇、その後を継ぎ、平成の世を通じて戦没者への祈りと被災者への寄り添いを定着させた現上皇と上皇后、そして戦後生まれでグローバル時代の皇室外交への期待が寄せられる今上天皇皇后という流れで、令和の世から新たな皇室になった感はあります。しかしなおも「男子」にこだわる点では、明治で時が止まっています。女性天皇が誕生してようやく、家父長制と男尊女卑の習慣が根深く残る社会との訣別が実感できるという面もあるのではないかと思うのですが。

君塚　あるでしょうね。あとは、やはりもっと女性の政治家は増えてほしいと思います。日本はまだ女性の首相さえ出ていない。

小島　本当にそうですね。皇室ではもはや次世代を継ぐのは悠仁さましかおらず、まさに存亡の機にあります。もう廃止してしまえという人もいますが、君塚さんは皇室はあったほうがいいと思いますか？

君塚　いまの在り方ではダメです。イギリスとかヨーロッパ流の形に公務なども増やすことができれば、皇室があることでありがたい部分はある。例えば外交面。もちろん外交は外務省や政府や外交官がやっているわけですが、それはハードな政治外交です。ハードとハードでは、どうしてもぶつかりやすいんです。アメリカやフランスといった共和制の国であれば、ハードな手段しか持ち合わせていない。文化外交といったところで、相手国の首相や大統領が文化人に会ってくれるわけではありません。
　それに対して、王室とか皇室がかかわるのはソフトな政治外交です。王室や皇室は国家元首ですから、相手側も会わざるを得ません。会っていられさえすれば、国と国との関係が完全に断ち切られることなく、連続性を持たせることができるわけです。

小島　イギリスは王室外交を重視しているのでしょうか。

君塚　EU離脱のときにも、当時のテリーザ・メイ首相はすぐにバッキンガム宮殿に行きました。それで女王陛下にお願いして、王族総動員でEU加盟国を回ってもらった。というのは、ドイツのメルケル首相やフランスのマクロン大統領からすれば、イギリスはそれこそ無責任に東ヨーロッパとか南ヨーロッパの債務をドイツやフランスに押しつけて逃げた、ということになるからです。そうやって国と国との関係が悪化すると、大使クラスが来ても外務大臣や外務次官あたりに会わせておけばいいという対応になる。ところが、メルケルさんのところに行ったのは、あのウィリアムとキャサリン、そしてジョージとシャーロットです。女王のひ孫まで総動員した。もちろんその人たちは、外交交渉はしていません。でも親書は渡します。
　とにかく会ってもらうことが、外交の始まりなんです。これは日本だったら完全に政治利用だと言われるでしょう。政治家でさえ言うかもしれない。しかしそれは筋違いな見方です。

小島　今後、今上天皇皇后がそうした外交面での役割を果たせる可能性は大きいでしょうか。

君塚　かなり大きいと思います。それから地球環境問題だとか、人権問題といった、特定の、限定的な問題ではない、全人類的な問題ですね。

小島　一つ伺いたかったんですが、2016年8月8日に先代の天皇（現上皇）が退位の意向を示した「お言葉」の冒頭で、「私が個人として、これまでに考えて来たことを話したい」と述べたのが印象的でした。なぜ「個人として」という文言を入れたのでしょうか。

君塚「個人として」と強調していたのは、天皇として考えちゃいけないからです。というのは、皇室典範にはそもそも退位の規定がありませんから。

小島　前例のないことをやるためには、あえて「個人として」と言うほかない？

君塚　それしかやりようがない。あのお言葉のなかでは、「退位」とはひとこともおっしゃっていません。内容としては明らかに「退位したい」なんです。ところがおっしゃる通り、個人としてこういうことをやってきた、これが象徴天皇だと思う、ところがこの年齢ではその務めを維持できないと述べた。摂政を置くというやり方もあるけれど、それだと自分の意志に沿わない、と。

小島　葬儀（大喪の礼）のときに家族が困るという話などもあって、どうしてそういうパーソナルな訴えになったんだろうと思っていたんですが、そうじゃないと訴えようがなかったわけですね。私はあれを聞いて、そうだよね、天皇だって生身の体を持つ一人の人間で、家族が心配だし、年を取って思うように働けなくなっても死ぬまで公務を果たさなければならないのはきついよね、と思いました。つまりあのお言葉は、いわば「第二の人間宣言」のようにも感じられたんです。

君塚　でもあれは、本当は3年前におやりになりたかったことだと思います。あのときご本人は82歳、在位期間は27年です。3年前の2013年の12月23日なら、満80歳、その2週間後の1月7日は、昭和天皇の死去から25年です。日本は末尾にゼロがつく式典が多いのですが、ヨーロッパでは最初にやるのは在位25周年なんです。そういう切りのいいときにおっしゃりたかったと思う。それと同時に、2013年1月にはオランダのベアトリクス女王が退位を表明して、7月にはベルギーのアルベール2世が退位を表明している。彼らはみんな60年来の親友です。

小島　それができなかったのはなぜでしょうか。

君塚　天皇がそういう意向を持っていても動かない宮内庁に原因があります。結果的には、そのおかげで3年間言葉を練れたわけですが。それ自体はよかった。

小島　なるほど。東日本大震災の際の動画メッセージや先述の「お言葉」など、先代の天皇はテレビの訴求力を理解して国民とのコミュニケーションをはかろうとし、その試みはかなり奏功したと思います。今上天皇は、幼少期には美智子皇太子妃（当時）人気と相まって「徳（なる）ちゃん」として国民に親しまれました。生まれた時からテレビの中のプリンスとして広く認知されていた。皇太子になってからは、雅子妃の外国訪問が制限されていることに触れ、〝人格を否定〟などの強い言葉で宮内庁批判ともとれる踏み込んだ発言をして注目されましたよね。天皇となって程なくしてコロナ禍が発生したため、なかなか国民の前に直接姿を現す機会がないですが、リモートで植樹祭などをおこなっています。そういう機会に発する言葉を、どうやったら国民の心に届くものにできるのかという課題があるのではないでしょうか。これはデジタル時代の新皇室を打ち出す好機でもあると思うのですが。

君塚　コロナの時に、国民全体に向けて頑張りましょう、我慢しましょうというメッセージが出せませんでしたね。実は天皇も、去年、今年と、年始に国民に向けたメッセージを発信しています。しかし、これがまったく知られていない。繰り返しますが、宮内庁の無策ゆえです。2021年の1月1日に新年の一般参賀ができない。それに代わって、天皇皇后両陛下からメッセージを国民に寄せようということになりました。ところが、どこから発信されているかというと、宮内庁のホームページです。しかも1月1日の午前5時半から。これはわざわざ見に行かないと知ることができません。ですからオンデマンドなんです。午前5時半からで、誰が見るんでしょう。NHKの2021年1月1日の朝6時のニュースでは、この話題は3番目でした。天皇が史上初めて、新春のメッセージを発せられたというのに。

すでにお話ししたように、イギリス王室は1952年からずっと放送でクリスマス・メッセージを出しています。イギリスが嚆矢《こうし》で、スウェーデン、デンマーク、そしていまではフランス大統領やドイツ首相も、クリスマス、クリスマス・イヴ、ニュー・イヤーに国民にメッセージを出します。日本の皇室も、これに学んで広報戦略を鍛えていくべきです。

02

炎上する「萌えキャラ」／「美少女キャラ」を考える

李美淑

李美淑 い・みすく

東京大学大学院情報学環・准教授。米国ハーバード・イェンチン研究所訪問研究員、東京大学大学院博士課程特任助教、立教大学グローバル・リベラルアーツ・プログラム運営センター助教を経て、現職。専門はメディア・コミュニケーション、ジャーナリズム研究。著書に『「日韓連帯運動」の時代』（東京大学出版会）、共著に 'Marginalizing the Reporting of #MeToo 2.0 with Structural Bias in Japan', *Reporting on Sexual Violence in the #MeToo Era*（Routledge）など。

「日本を代表するコンテンツ」が炎上！

2020年、東京オリンピック・パラリンピックの開催に向け、訪日外国人旅行者数4000万人の目標達成のために、観光庁及び日本政府観光局ではプロモーション・キャンペーン「Your Japan 2020」を実施した。このキャンペーンには、「温泉むすめ」も、ポケモンやハローキティと並んで「日本を代表するコンテンツ」として参加した。[*1]「温泉むすめ」は、全国の温泉地を美少女キャラクターに擬人化し、温泉や地域の魅力を伝えることで、現地への来訪を促進するとする地域活性化プロジェクトである。2016年に始まった「温泉むすめ」は、ファンを増やすにつれ、一部は自治体の公認を受け、また2019年には観光庁の後援を受けるようになった。そこで、2020年には「日本を代表するコンテンツ」として仲間入りをしたのである。

未曾有のパンデミックにより、当該キャンペーンは国内外で高い関心を呼び起こしたとは言い難いが、「温泉むすめ」に関しては、別の意味で高い関心の的となった。2021年、フェミニスト活動家の仁藤夢乃（一般社団法人Colabo・代表）が偶然「温泉むすめ」のパネルを見てつぶやいたのが瞬く間に反響を呼んだのである。

出張先で「温泉むすめ」のパネルを見て、なんでこんなものを置いているの😩💢と思って調べたらひどい。スカートめくりキャラ、夜這いを期待、肉感がありセクシー、ワインを飲む中学生、「癒しの看護」キャラ、セクシーな「大人の女性」に憧れる中学生など。性差別で性搾取。[*2]

実際、キャラクターの多くはセーラー服で描かれ、プロフィールには「くふふ、後でスカートめくっちゃお！」「いつもスカートめくりをしちゃうイタズラなむすめ」、「布団に入ると妄想が爆発して『今日こそは夜這いがあるかも』とドキドキしてしまい、いつも寝不足気味」「諸事情でサラシを巻いて胸のボリュームを隠している」などの説明が付けられていた。その後、「温泉むすめ」の設定や表現に疑問を持つ声がSNSを中心に拡散され、炎上するなか、キャラクター設定の変更、サポート企業名の削除が行われた。

「咲かせるよっ！　みんなの湯の花！」の「温泉むすめ」。政府や自治体によって認められ、錚々たる企業がサポーターとなっていた「温泉むすめ」は、なぜTwitterで指摘されるまで、キャラクター設定や表現に修正が行われなかったのであろうか。未成年に見える少女キャラクターを利用し、温泉や地域を代表する「花」と飾り付けた上、セクハラや性暴力を欲望するかのように描くこと、身体（の部位）を性的に語る（表現する）ことなどに、自治体や政府、サポーター企業などはまったく疑問を持ち得なかったのであろうか。いや、もしかすると質問は逆なのかもしれない。今まで多くの公共組織や企業が「問題ない」と考え、「日本を代表するコンテンツ」としてまで選んだものが、なぜ今は問題になるのか、と。

炎上した表現を遡って考えると、その鍵が見えてくるのではなかろうか。社会心理学者の市川孝一は、炎上広告の歴史について述べている。[*3] 代表的な事例としては、1975年、ハウス食品のインスタントラーメン「ハウスシャンメンしょうゆ味」のCMが、「私作る人、ぼく食べる人」というキャッチコピーで問題となった。料理する人は女性で、男性は食べるだけでいい、というメッセージを社会に伝えること、すなわち、「女らしさ・男らしさ」や「性別役割」に関する固定観念を助長するという批判であった。1970年代は、世界的に第二波フェミニズムが巻き起こった時期で、日本でも「ウーマンリブ」運動が盛んになっていた。こうした動きの流れに、雇用の分野における男女の均等な機会を確保する目的で制定されたのがいわゆる「男女雇用機会均等法」（1985年成立）である。

「セクハラ」という言葉が流行語になった1989年は、広告表現における女性の性的対象化が問題となった。ウイスキー「ローリングK」（三楽）のポスターとCM、西武園プールのポスター、西武百貨店の新聞広告などがあげられる。「ローリングK」はレイプを連想させ、西武百貨店は性的に描かれた女性に「知性を一本ヌキに行こう！」という身勝手なキャッチコピーを付けたことなどが問題となった。「セクハラ」という用語を流行らせた、「女性に対する暴力」への社会的関心は、女性を「レイプされる存在」、「性的な存在」、本来、「そのような存在」と描き、男性の欲求解消のための道具として描く表現に疑問と批判を向けたのである。「性別役割」の固定観念を超えて、女性も働き出したとはいえ、職場や日常生活における性差別、性暴力、そして、性の商品化は、とりわけ１９９０年前後に、至るところで問題となったのである。この時期、「ミス・コンテスト反対運動」なども繰り広げられていた。

その後も、メディア表現における女性（未成年の少女を含む）の描かれ方はたびたび問題になってきたが、２０１０年代の中ごろから再び社会的関心を呼び起こしている。そして、その対象には、既存の性別役割やステレオタイプを助長する表現、女性の「性の商品化」を助長する表現のみならず、「温泉むすめ」の事例で見たように、アニメ風に描かれた二次元のキャラクター、いわゆる「萌えキャラ」または「美少女キャラ」の設定や表現も議論の的になった。もちろん、すべての「萌えキャラ」や「美少女キャラ」が議論になったわけではない。ただ、一部の設定や表現が問題として議論されるようになったのである。その社会的な背景とは何であろうか。

外国人の目に映る「ニッポン」と「美少女たち」

日本を訪れる外国人は、マンガ、アニメ、ゲームなど、日本の代表的なサブカルチャーにある程度慣れているとしても、現地のいたるところに見えるいわゆる「萌えキャラ」や「美少女キャラ」には驚かざるを得ない。それは自国とは異なる日本ならではの魅力として感じられることが多いだろう。特に、マンガ、アニメ、ゲームのファンとなり、日本を訪問したいと願った人々にとっては、自国とは異なる現地での風景や経験は大切な思い出になるであろう。しかし、もう一つ驚くことになるのは、一部の表現が、自国では公共の場では許されないであろうと思われる点にもある。子どものような顔やしぐさをする美少女キャラクターが性的にアピールするようなイメージが、誰もが行き来する道路や町の広告版に出ていることに不思議さを感じるのである。日本における #MeToo の象徴的な人物、伊藤詩織を主題としたBBCドキュメンタリー「Japan's Secret Shame」（2018年6月28日、BBC Twoにより放映）は、町の至るところで少女／女性が「性的」に商品化されている、日本の町風景の模様を、外国人の目で伝えている。その点、外国ではどうなっているのだろうか。

2010年の夏、スウェーデンでは、ある男性が日本のマンガ画像を持っていたことで罪に問われた。フェミニスト・ブログ「FEM-NEWS」によると、男性は子どもポルノ禁止法違反の判決を受けたという。[*4] スウェーデンでは、1999年以来、子どものポルノグラフィを持っていることが犯罪とされ、2010年には、見ること自体も犯罪となった。記事によると、警察官は、過去にもたびたび、日本発のマンガが多く問題になってきたという。当該のマンガ画像はノルウェーの公共放送NRKによって報道されたが、裸同然の女の子が胸や乳首が強調された形で、縛られて叫び声をあげるような画像である。この事件について、日本の新聞は報道していない。むしろ、同年、子どもの性の商品化に歯止めをかけようとした東京都の条例案が出ていることに、作家や社会学者の声を用い、「自由な発想力奪われる」(『朝日新聞』2010年3月16日)、「行政の価値観介入に異議」(『朝日新聞』2010年7月16日)などの記事が書かれている。

世界と日本の感覚はなぜこんなにも異なるのであろうか。日本における「児童ポルノ禁止法」の成立(1999年)の背景をみると、世界からの批判に直面した衝撃による側面が大きかったという。法学者で弁護士の園田寿は、法的整備の背景として、1996年、スウェーデン・ストックホルムで開催された「子どもの商業的性的搾取に反対する世界会議」(ストックホルム会議)をあげている。[*5] 日本人による東南アジアでの児童買春や日本国内での

「児童ポルノ」が大量に製造されていることに世界中の非難が集中し、そこで政府として何らかの法的な対応が迫られたという。ストックホルム会議では、児童が登場する性的なアニメやコミック、児童に見えるような成人女性が登場するAVなどを含むものとして「児童ポルノ」が議論となったが、日本における法整備では、これらは対象外となった。2014年の改正でも国際的な動向を追う形で「単純所持」や「盗撮」が犯罪化されたが、アニメやマンガなどの創作物に関しては依然として対象外となっている。

欧米諸国で児童ポルノ禁止が法制化されたのは1970年代である。一方、日本では実在の児童を対象とする児童ポルノが「創作物」や「作品」として作られ、売られ、鑑賞（消費）されていたことが、世界中の批判によって法整備とともに正式に禁止されたのが1999年である。アメリカの場合、児童ポルノ禁止を法制化したのが1977年で、実在の児童だけでなく、児童に見えるイメージを利用した露骨な性表現物を規制したのが1996年である。[*6] しかし、実在と仮想の表現物を同じ基準で規制することが問題になり、2003年、素描、漫画、彫刻、絵画などの形での仮想児童ポルノに対しては「児童の性的虐待のわいせつな視覚的表現」という副題がついた別途の法的規制条項を設けた（「思想的、芸術的価値」の免責条件あり）。アメリカや西欧などの先進諸国や国際機関における女性、児童に対する人権意識が高くなるにつれ、日本も国際社会の一員として女性、児童に対する人権規範を高めるよう促されている。

もちろん、表現物の現状やあり方は、それぞれの社会における公共の議論と法体系の文脈に基づいているもので、普遍的なモデルが存在しているわけではない。ただ、インターネットを通じて様々な表現物が国境を越えて流通、伝播していくことを考えると、日本国内だけの議論に留まるわけにはいかない。実際、マンガ、アニメ、ゲームソフトなどにおける児童のように見えるイメージを用いた性的な姿態の描写や虐待の描写に対し、日本国内外から批判の声が上がってきている。2008年、日本ユニセフ協会は、児童売買、児童ポルノ禁止法の改正を求めるキャンペーンをはじめながら、児童ポルノの「単純所持」の処罰とともに、マンガの虐待描写なども「準児童ポルノ」として違法化するよう訴え、署名運動を広げた。2015年には、国連の「子どもの売買、児童買春、児童ポルノ」特別報告者、マオド・ド・ブーア＝ブキッキオ氏が来日し、子どもに関して過度に性的な表現をしたアニメやマンガを規制するよう求めた。

1990年代以来、日本も海外の動きに呼応してきてはいるものの、先進諸国を中心とする国際的な人権規範に照らすと決して十分とは言えない。もちろん、少女／女性の性的表現物に関する議論はどの社会においてもセンシティブなイシューとなることが多く、トップダウンの規制ありきのアプローチには否定的である。むしろ社会の様々な構成員による公共の議論やせめぎ合いを通じて、当該社会における表現のあり方が自律的に（時には法律的にも）模索、調整されることになる。同様に、日本でもフェミニストを含む市民社会のなかから、少女／女性に対する性差別や性暴力、性の商品化を助長する表現に対して持続的な問題提起が行われてきた。

2010年代後半からは、世界的な#MeToo運動とともに、職場や日常における性暴力と性差別が社会の主要問題となり、ジェンダー平等を求めるメディア言説も増えてきた。女性／少女に限らず、性的マイノリティや民族的マイノリティを含む、多様なアイデンティティを持っている人々に対する差別禁止や人権擁護の議論も増えてきた。このように、グローバル化を背景とした、国際規範としての人権意識の高まりとともに、少女／女性を「女性らしさ」や「性別役割」に固定化するような表現、「性の商品化」と性差別、性暴力を助長するような表現に対する批判が、二次元の少女／女性のキャラクターも含めて、広がってきたように考えられる。

女性の「客体化」とは何であろうか

それでは、炎上する少女／女性のキャラクターは何が問題とされてきたのか。具体的な事例の分析にあたって、分析の枠組みをこれまでの「オブジェクトフィケーション」に関する議論から借りたい。「オブジェクトフィケーション」は、対象化、客体化、モノ化など、多様な訳語があるが、本稿では、眼差しされる存在、対象やモノとされる存在として、「主体」の場／機会を奪われた「客体」として固定化するという意味合いを表すため、「客体化」という用語を使うことにする。

哲学者のマーサ・ヌスバウムは「客体化」という論考[*7]で、他者を「客体化する」ことには、次の一部、またはすべての特徴がみられるという。それは、①道具のように扱う、②自己決定権の否定、③受け身の存在とみなす、④代替可能とみなす、⑤侵害可能とみなす、⑥所有可能とみなす、⑦主体性（主体としての経験や感情）の否定、である。哲学者のレイ・ラングトンは、ポルノと客体化に関する哲学論考で、ヌスバウムの議論に基づきながら、女性を⑧身体（部位）に還元させること、⑨容姿に還元させること、⑩自ら語ることができない存在のように扱うこと、を加えることができるとした。[*8]こうした客体化に関する議論は、個人の関係を超え、より広い社会的関係における「女性」の構築に関する議論として深められた。そして、その核心には①の「道具化」があるという。

ジェンダーは、社会的構築物である。反性売買、反ポルノ活動家としても知られている、法学者、キャサリン・マッキノンによると、「男性」の社会的役割は、社会的ハイアラーキーの維持、専有のため、女性を「道具化」するよう構築され、「女性」の役割は、それに従属／服従させられる形で構築されているという。[*9] 女性の「性的客体化」は、女性が男性の欲望充足や支配のために用いられること、そして、男性の支配と女性の服従を「エロティック」なものとして描き、享受することに見ることができるという。それに加え、サリー・ハスランガーは性的客体化は、女性を性的に服従させられる「本能」を持つ存在、そもそも本来「性的な存在」とみなすところに倫理的かつ認識的な問題があると論じる。[*10] 女性の客体化、そして、性的客体化の核心には、社会において女性が人格をもつ人間というより、「道具化」されること、そして、本来が「そのようなモノ（そのためのモノ）」として認識するよう強いることにあり、そのために有害であるとする。こうした議論は、個々人の性的関係の多様性に関する議論ではない。むしろ、女性の（性的）客体化の持つ社会的意味やその影響に関する議論である。そこで、女性を客体化するメッセージが溢れるメディア環境に対し、様々な研究が行われてきた。

それでは、女性を客体化するイメージはどのようなものであろうか。哲学者のキャスリーン・ストックは、これまでの議論を整理しながら、「客体化するイメージ」には、①「身体としての女性」（客体の顕著な特徴として身体が強調される／顔や外見も含まれる）、②「動物としての女性」（猫、牛、トラなど、動物の特徴が強調される／擬人化など）、③「代替物としての女性」（代替可能なモノと提示される／グループの属性の持ち主として現れる）、④「子どもとしての女性」（恥ずかしがるような表情やポーズなどで提示される）、⑤（無感覚な）モノとしての女性（商品の置き場などと提示される）、をあげた。[*11] ストックの議論に加え、エレナー・メイソンは⑥「死体としての女性」を含めることができるとしたが、[*12] 本稿では、それに⑦「成人女性としての少女」（未成年の少女を性的な対象または成人女性のように提示する）を含める。ストックは、女性を客体化するイメージは、必ずしも「性的」な表現に限ることではない点を指摘しながら、これらをすべて「心情抑圧的」（mind-suppressing）イメージ、すなわち、女性を心を持たない存在のように描くイメージだという。そして、これらのイメージは女性に対する独特な見方を助長するとし、ストックはそれを女性の思う、感じることに対する「無感覚な眼差し」（mind-insensitive seeing-as）と呼ぶ。

こうした女性に対する「無感覚な眼差し」は、少女／女性に対し否定的な影響を及ぼすと論じられてきた。既存の研究では、少女／女性が「身体」や「外見」で価値があるものとみなされることに対する、精神的な負担が議論されている。例えば、アメリカ心理学会の「少女のセクシュアル化に関する報告書」[*13] では、テレビ、ミュージック・ビデオ、雑誌、ゲームなど、様々なメディアにおける少女の性的描写がもたらす影響について調べ、少女／女性に否定的な影響を与えていると報告した。それらには、①認知的、情緒的な側面（自己否定、不安など）、②精神的、身体的な側面（憂鬱や摂食障害など）、③性的関係の理解の側面が挙げられている。女性を客体化するイメージの影響については、「男性の眼差し」による欲望される／期待される「望ましい少女／女性像」を内面化することによって、自己客体化（セルフ・オブジェクトフィケーション）と自己検閲（セルフ・サーベイランス）に繋がっていると議論されてきた。例えば、「男性の眼差し」の予測（男性から見られるという予測）が「女性の眼差し」の予測より、はるかに女子大学生のボディシェイミングと不安という心理的負担を加重させたり[*14]（カルジェロ）、「男性の眼差し」が女性の認知的な負担を加重させ、与えられた課題遂行を低下させたり[*15]（ゲイ、カスタノ）するという。

女性を客体化するイメージは、男性にとっても有害な影響がある。ポール・ライトとロバート・トクナガの研究[*16]によると、男子大学生たちは、ポルノを含む、女性を性的に描写する雑誌、テレビの利用が増えるほど、女性を「モノ」と客体化する認識（女性は男性の性的満足のために存在するなどの「非人間化」）の度合いと、女性に対する暴力を受容する度合い（女性が暴力を望んでいる、誘引するなどの性暴力擁護的態度）が増えるという。女性を性的に描くイメージが溢れるメディア環境では、女性は「非人間＝モノ」化され、実在の女性の性暴力被害は、女性の「落ち度」といった暴力正当化（暴力を振るわれてもしょうがない、それなりの理由があるだろう）が目立つ。また、女性の主体性（自分の経験や感情を自ら語る）を「被害妄想」と疑い、「売名行為」などと否認する。これらはストックのいう、女性の思うことや感じることに対する「無感覚な眼差し」が社会に定着してしまうことの弊害とみることもできよう。

炎上した「萌えキャラ」／「美少女キャラ」から見えるもの

それでは、具体的にどのような表現が炎上してきたのだろうか。表1は2015年からの炎上した広告をリスト化したものだ。すべての炎上事例を網羅しているわけではないが、ネットで話題になり、記事にもなった事例を中心に作成してみた。ここで、いわゆる「萌えキャラ」、「美少女キャラ」など、二次元の創作物に関するものはグレーにしている。特徴的なのは、23個の炎上事例のなかで、約半数にあたる事例が二次元の創作物（11個）の設定や表現であり、その3分の2が政府、自治体、公的機関や公共の利益を掲げるという組織が関わったものとなっている。そして、もう一つ特徴的なのは、炎上広告が社会的問題として議論され、実在の人物が登場した広告の炎上事例は減ってきたところ、二次元の創作物における

時期	内容
2015年3月	ルミネCM「働く女性応援」…女性社員に「需要がちがう」
2015年8月	三重県志摩市「碧志摩メグ」海女の萌えキャラ…海女などから批判声明
2015年10月	ブレンディCM　乳牛になった女子高校生
2015年11月	岐阜県美濃加茂市「のうりん」萌えキャラ…「巨乳の持ち主」キャラクター
2016年9月	鹿児島県志布志市「うな子」…スクール水着の女子高生が「養って」
2016年10月	資生堂CM「今日から女の子じゃない」「かわいい武器はもはやない」
2016年10月	東京メトロ「駅乃みちか」の「萌え絵」
2017年5月	ちふれ「『女磨き』をおろそかにしていませんか」「『女磨きレベル』診断」
2017年5月	ユニ・チャームCM「生理中の彼女について彼の本音を大調査!」
2017年6月	VOCE「女の市場価値はいくつまで」「普通の27歳と美人の33歳、どっち」
2017年7月	宮城県の観光PR動画…壇蜜起用、「セリフや表現方式がAVを連想させる」
2017年7月	サントリー「頂（いただき）　コックゥ〜ン!」…AVを連想
2018年3月	ふともも写真の世界展2018 in 池袋マルイ
2018年6月	ワコール「男性用Tシャツ」「東北美人に後ろから抱かれているような感じ」
2018年9月	ワーナー「ガールズバンド募集　IT社長と結婚したい人」
2019年3月	自衛隊の自衛官募集ポスター「アニメの美少女キャラ」
2019年10年	日本赤十字社「『宇崎ちゃんは遊びたい!』×献血コラボキャンペーン」
2020年8月	環境省「君野イマ」「君野ミライ」萌えキャラ
2020年11月	アツギ「#ラブタイツ」イラスト…タイツ女子の性的描写
2021年9月	千葉県警の交通ルール啓発動画「Vチューバー・戸定梨香」の起用
2021年11月	地域活性化プロジェクト「温泉むすめ」
2022年1月	イケア・ジャパンCM「男性や子どもはソファに座り、女性が食べ物を運ぶ」
2022年4月	日経新聞の全面広告「月曜日のたわわ」…国連女性機関などから抗議

表1　2015年から2022年までの「炎上広告」リスト（作成：李美淑）

炎上事例は、特に2019年以後、増えてきた。「なぜ、炎上したのか」という根本的な議論が行われず、実在の人物を架空のイメージ・キャラクターに変えることで批判やリスクを避けようとしたのかもしれない。しかし、二次元の創作物に対する炎上事例が続くことをかんがみると、根本的な問題は、表現の仕方や設定にあるのだと、認識する必要があるのではないか。

こうした炎上事例を、先述のストックの5つの客体化イメージの分類と、本稿の「成人女性としての少女」を含めて、どのような描き方が顕著であるのかを区分してみた。その結果、大きく5つの分類に分けられることがわかった。なかには、身体／外見として描かれると同時に、成人女性のように描かれる少女のイメージもあるなど、二つのカテゴリー以上に属するものもある。しかし、本稿では、それぞれのイメージにおいて、炎上した際の議論などを参考に、もっとも顕著な側面を選び、一つのカテゴリーのみに属する形で表示した（図2）。

そうすると、実在人物のイメージと二次元の創作物ともにもっともよく現れるのが「身体としての女性」であった。顔、外見、身体（の部位）などを強調する女性のイメージは、ラングトンが指摘するように、女性を「身体」や「容姿」に還元している。また、ヌスバウムが指摘するように、女性を「身体」や「容姿」として眼差しされる／評価される「受け身」の存在として現す。そこに、女性がどう感じるか、どう思うかは考慮されていない。「身体

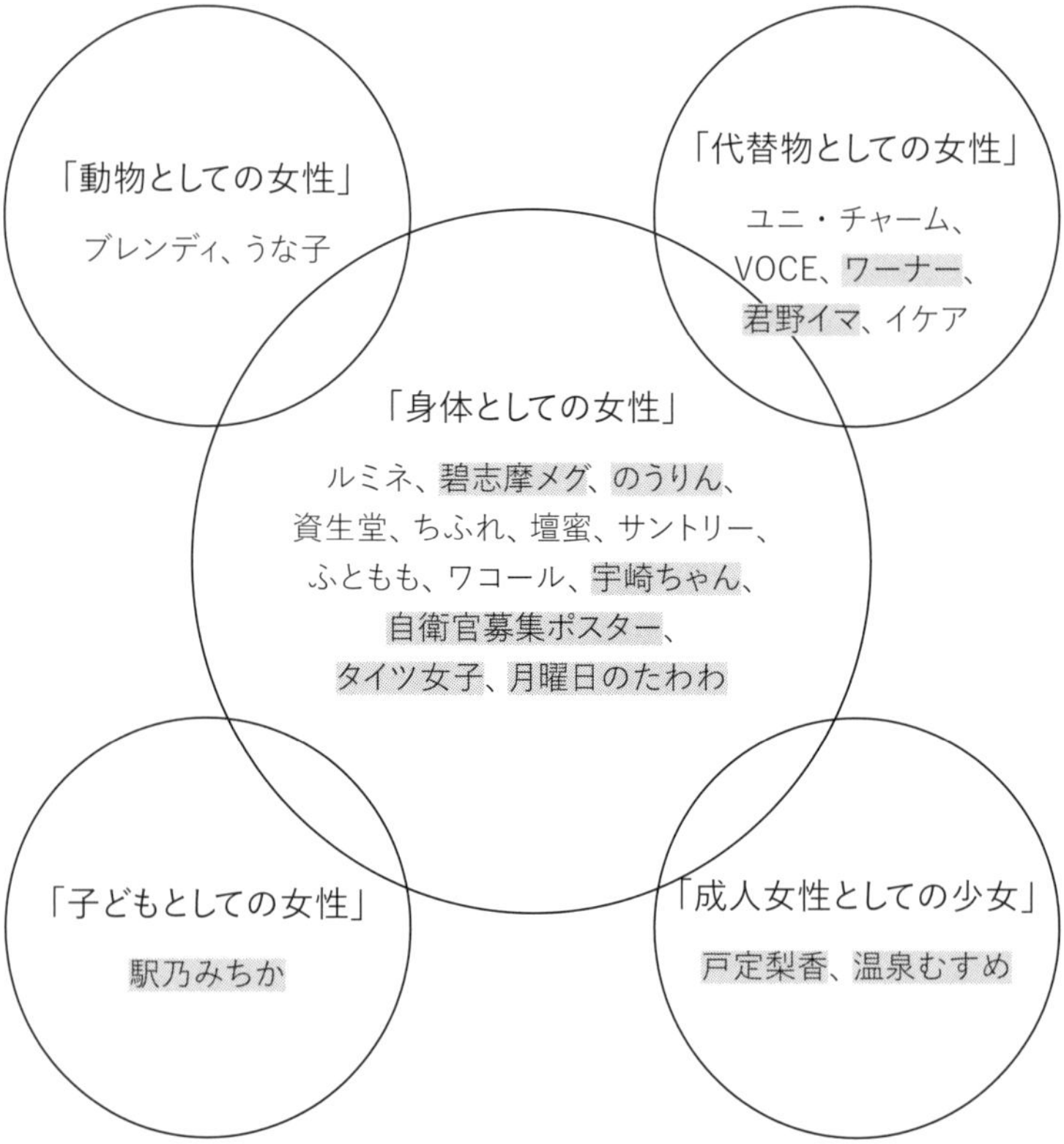

図 2「炎上広告」のカテゴリー
（作成：李美淑）

図3 炎上した二次元の「萌えキャラ」/「美少女キャラ」の事例
（左から「のうりん」、「宇崎ちゃん」、「駅乃みちか」、「碧志摩メグ」*17）

としての女性」は、女性を「身体＝非人間」と眼差し、それを目的（商品広告や広報活動）のために「道具化」する点で、女性に対する根深い「無感覚な眼差し」が見えてくる。

興味深い点は、二次元の創作物のみで現れるのが、「子どもとしての女性」、「成人女性としての少女」であることだ。実際は「身体としての女性」のカテゴリーに属した、二次元の少女／女性キャラクターの一部も、独特なしぐさやポーズを出す形で、「子どもとしての女性」のイメージとしても分類することができる。その点、実在の女性を用いたイメージとは異なり、少女／女性キャラクターでは、①成人女性を「大人」としての知識や能力を持った人物ではなく、それらが足りない、あどけない「子ども」っぽい女性にイメージ化し、逆に、②未成年の少女は、設定や身体描写などにおいて――「身体としての女性」ほどの露骨さではないものの――性的対象としてみることを可能とする「大人」として描いていることがわかった。二次元の創作物であるからこそ、実在の少女／女性では表すことのできない、少女／女性に対する眼差しがありのまま投影できたのである。例えば、Vチューバー・戸定梨香を起用した、千葉県警の交通安全啓発動画では、実在の女の子が胸を揺らしながら交通安全を説明することは想像しがたいが、二次元では表現できる。そこに違和感をもつ人々が声をあげたのが、炎上となったのではなかろうか。

炎上した事例では、女性は（専門的な）知識や能力を発揮する人物として現れておらず、「身体」として、「幼さ／未熟さ」として現れる。駅乃みちかの事例では、「身体」としての特徴は低いが、表情やしぐさから「幼さ／未熟さ」を現している。女性を「子ども」のように描くことで、女性の自律性や主体性は否定される。一方、「成人女性としての少女」は、少女を性的対象として侵害可能な存在として表す。それも、「温泉むすめ」の設定で炎上していたように、少女が自ら期待するかのように（夜這いの期待など）。その点、「子どもとしての女性」、「成人女性としての少女」はどちらも「幼さ／未熟さ」と「身体」の交差によって構成されており、少女／女性の価値を「あどけない」×「大人の身体（設定）」に固定化する。こうした客体化は、作り手の性別などに関係なく、少女／女性を「そのようなもの」

と設定できるようにする、蓄積された「無感覚な眼差し」に基づいているのではなかろうか。

また、前述したが、驚くことに、こうした「子どもとしての女性」、「成人女性としての少女」は、主に公的機関によって採用されてきた。公共性を標榜する機関と組織が、女性を「身体」や「幼さ」に価値があると描くイメージを採用したことは、同じ人間として女性が「経験する、思う、感じる」ことに対する、まったくの無関心な「無感覚な眼差し」を助長することに加担してきたともいえる。その点、公的機関が「国、地域、公共（みんな）のために」と言いながら、少女／女性を道具のように扱い、客体化してきたのではないかと、反省が迫られる。

「表現の自由」論争から見えるもの

本稿にあげた炎上事例のなかでは、少女／女性キャラクターの一部の表現や設定に焦点を当てすぎているのではないか、それによって表現の自由を全体として萎縮させてしまうのではないか、という非難の声も上がっている。「論争」や「葛藤」は、そこに社会の重要なイシューがあること、また議論が必要であることを示している。ここでは、「表現の自由」論争の全容を議論することは紙幅が許さないので、炎上事例との関連で、「表現の自由」を掲

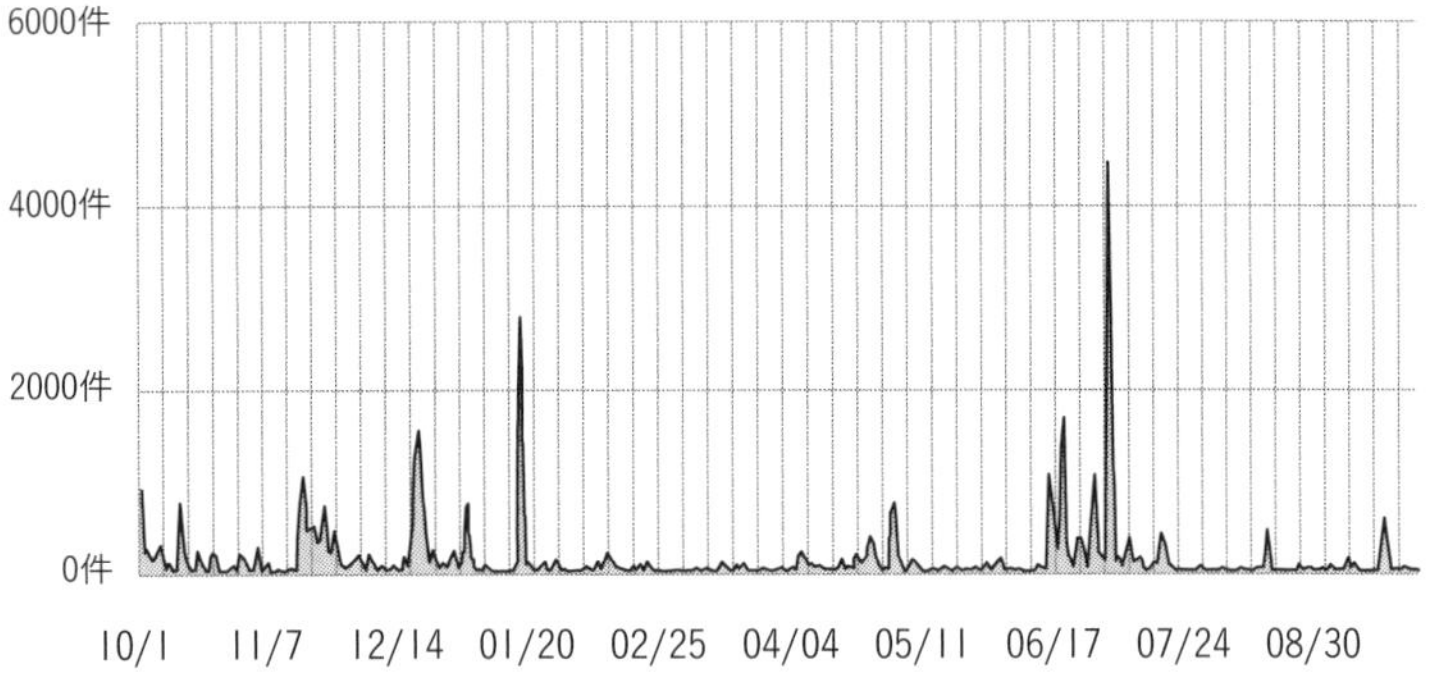

図 4 Twitter における「表現の自由」と「萌え」
または「美少女」のツイート数（2021 年 10 月 1 日 ~2022 年 9 月 30 日）

げて議論したのは誰で、どのような特徴がみられるのかを検討したい。ここでは「表現の自由」論争の主な戦場となったTwitterを中心に見ていきたい。

Twitterに投稿されたデータの分析は、ユーザーローカル社が提供している解析ツール「ソーシャルインサイト」を利用した。過去1年間（2021年10月1日～2022年9月30日）の間、「表現の自由」とともに「萌え」または「美少女」が書かれたツイート数の推移は、図4のようである。発言ユーザーの特性としては、過半数（52・8％）が関東に居住し、4分の3は男性（74・7％）であった。いわゆる、「表現の自由」論争は、主に男性によって行われていると言える。

去る1年間において「表現の自由」論争が

図4　Twitterにおける「表現の自由」と「萌え」または「美少女」のツイート数（2021年10月1日～ 2022年9月30日）

ピークに達したのは、2022年7月3日（ツイート数、3645件）と、同年1月17日（ツイート数、2584件）である。ツイート数がもっとも多かったのは、7月3日で日経新聞の全面広告「月曜日のたわわ」がイシューになった後の時期で、次に多かった1月17日は、千葉県警の交通安全啓発動画でのVチューバー起用と地域活性化プロジェクトの「温泉むすめ」が炎上した後の時期にあたる。以下では、この2日のツイートの詳細について確認したい。

まず、ツイート数がもっと多かった7月3日。「リツイート」や「いいね」で注目された投稿の上位から10個を並べてみると以下のようになる。ここでは、「公人」とみられる人のみのプロフィール情報を載せることにし、「公人」にかかわる内容は太い字にしてみた。

①「BLは気持ち悪い」という方もいます。一方で「萌えは気持ち悪い」という方もいます。私にも好きな表現、苦手な表現が無いと言ったら嘘になります。しかし「表現の自由」は、むしろこの「苦手な表現」をお互い許容することで保たれるものだと信じています。国会でもこの姿勢は続けていきます。**（くりした善行・参議院全国比例**／RT 7721、いいね 32068）

②マジこれ　**①のリンク貼り付け**（RT 117、いいね 440）

③規制する理屈からしたら男性向け、女性向け関係ありません。むしろ、女性向けが最近は危ない。どちらかだけでなく両方守る必要がある。**①のリンク貼り付け（大田区議会議員―おぎの稔―ビッグ世界77位の大田区議**　RT93、いいね172）

④だから性差別表現が批判されるのは「気持ち悪いから」ではありません。嘘を何度も言って本当にでもしたいのでしょうか。**①のリンク貼り付け**（RT93、いいね134）

⑤**#表現の自由を守る参院選2022　#赤松健　#漫画家を国会へ　#全国比例は赤松健　#参議院選挙2022　赤松健候補**「私はが《ママ》描く、美少女キャラとお母さんキャラ、同じ絵柄ですよ！キャラクターに年齢は関係ない！」未成年に見えるキャラクターの性表現に線引きをしての規制はナンセンスで実在児童も守れない。（RT85、いいね112）

⑥ツイフェミ**【ちと】**のLoft萌え絵展示会炎上騒動を側面援護した方ですな（RT23、いいね26）

⑦**くりした善行候補**には強く規制されがちな商業BLも守る政治家になってほしいにゃんね　**①のリンク貼り付け**（RT9、いいね19）

⑧**全国比例区で立候補されている松浦大悟さん**も表現の自由を政策に掲げて選挙を戦っ

ております。可能でしたら松浦さんの応援も行って頂けますとありがたいです。**松浦大悟のツイートリンクの貼り付け**（『月曜日のたわわ』『温泉むすめ』『宇崎ちゃん』『戸定梨香』を女性が性的搾取されているというステレオタイプで断じるべきではない。萌え絵の創作者や消費者の中には多くの女性が含まれる。自分が理解できない他者とどう共生していくか。「多様性の尊重」とはそういう意味だ。）（RT 9、いいね13）

⑨何かを「好きだ！」と言う自由もあれば「嫌いだ！」と言う自由もある。好きは「ただの好き」であって「正義」ではない。嫌いは「ただの嫌い」であって「悪」ではない。「嫌いなもの」を強制されたら嫌だけど、そうでないなら気にしないし。逆に「好きなもの」を（圧を掛けて）薦めるのは良くない **①のリンク貼り付け**（RT 6、いいね25）

⑩オタク文化には「誰かの好きは、誰かの地雷」という言葉があります。もちろん、これが義務ではないです。しかし、「文化が栄える」ということは、たくさんの作品が行き交うカオスな状態です。カオスの中から自分の好きなものを探す状態こそをスタンダードにしていかないと、衰退するだけです　**①のリンク貼り付け**（RT 6、いいね2）

以上⑥を除くすべてのツイートが政治家の発言、またはそれをリツイートした形でのツイートであった。「表現の自由」論争がピークに至った時が、参院選を迎えた時で、それも政治家たちによって主導されていることは、「表現の自由」論争が「選挙戦略」として活用された側面もあったと読み取れる部分である。また、投稿の内容は、おおむねフェミニストの問題提起を批判する形で、「性差別表現」などという主張は嘘であり、「多様性尊重」のために、表現の自由は守るべきとしている。Twitter上には、もっと多様な意見がある可能性があるが、注目された上位のツイートは、「表現擁護論」となっていたようにみえる。発言ユーザーの属性を見ると、20代（48・6％）、男性（60・6％）の特徴を持っており、「表現の自由」論争は、比較的に若い男性が反応しやすい、政治・選挙イシューとなっていた。

同年、千葉県警のVチューバー起用と「温泉むすめ」炎上に近い1月17日は、どのような特徴があるだろうか。選挙時期ではなかったため、異なる側面が見えるかもしれない。当日の上位10個のツイートを確認したところ、一つの投稿を除き、すべて同じリンクを貼り付けていることがわかった。公人ではないため、当該リンクは「Aツイートリンク」と表示する。しかし、7月3日のピーク時と比べ、全体的にリツイート数や「いいね」の数は少なかった。例えば、次ページは1月17日の一番上位のツイートである。

規制は妥当の結論ありきで議員連が動いてたからなぁあの当時『選挙で反対派を送り込む』のが民衆が出来る唯一の対抗策であり、与党が（悪い言い方をすると）『オタクは票田になり得る』ことを意識し始めたから変わり始めたが　**Aツイートリンクの貼り付け**（児ポ法改正でアニメが規制対象になりかけたことをきっかけに「表現の自由」活動しはじめたとの内容）（RT 11、いいね 13）

この発言ユーザーは、前日に投稿されたAツイートのリンクを貼り付け、政治、選挙戦略として「オタク」と「与党」が互いを発見したところ、「表現の自由」規制反対の波が作られたという。そして、それを「民衆」（＝オタク）の取ることができる唯一の対策であったという。このツイートを含め、1月17日における上位投稿の10件すべて、同様に「表現の自由」擁護派によるものとなっている。なかには、中国、韓国打倒と掲げるツイートもあり、また、日本の「美少女キャラ」が西洋（もちろん、西洋だけではない）では「ロリ」に扱われることに怒るツイートもある。1月17日の発言ユーザーの特性をみると、過半数弱が20代（42・9％）で男性（81・8％）である。ここでも、「萌えキャラ」や「美少女キャラ」を「表現の自由」と繋げて論じるのは、主に男性ユーザーとなっていることがわかる。

「表現の自由」論争で、もっとも高いピークとなった2日間のツイートをみると、「萌えキャラ」や「美少女キャラ」は主に政治家たちと若い男性たちによって守るべきものとされてきた。しかし、それらの表現に対して少女／女性たちの声は聞かれているのだろうか。フェミニストによる問題提起を叩き潰そうとする、「表現の自由」戦士たちの声が注目される一方で、少女／女性たちは戸惑い、沈黙させられているのではなかろうか。「表現の自由」論争をみると、眼差しされる他者が何を思うのか、何を感じるのか、には無感覚で、「オタク」文化のため、「国や地域の活性化」のために、マンガ業界のために、などと、何かしらの「ため」の道具として少女／女性をイメージ化し、それを「表現の自由」という武器で、声をあげることの難しい少女／女性たちを、もう一度沈黙させているようにもみえる。

誤解される「表現の自由」を超えて

人々が民主主義と人権のために勝ち取ってきた「表現の自由」。表現の自由に反対する人は誰もいないであろう。しかし、表現の自由は、どのような原則や規範もなく、ひたすら追求、達成されるべきものであろうか。日本国憲法21条1項は、「集会、結社及び言論、出版その他一切の表現の自由は、これを保障する」としている。一方、刑法175条1項は、

「わいせつな文書、図画、電磁的記録に係る記録媒体その他の物を頒布し、又は公然と陳列した者は、2年以下の懲役若しくは250万円以下の罰金若しくは科料に処し、又は懲役及び罰金を併科する」としている。また、2014年「児童買春、児童ポルノに係る行為等の規制及び処罰並びに児童の保護等に関する法律」（いわゆる「児童ポルノ禁止法」）は、児童の権利擁護や保護に関する国際動向と合わせ改正された（「単純所持」も処罰など）。そのほか、2016年には「本邦外出身者に対する不当な差別的言動の解消に向けた取組の推進に関する法律」（いわゆる「ヘイトスピーチ解消法」）が制定された。これらには、表現の自由が「目的化」されるのではなく、人権――とりわけ、社会的弱者――のために「制限」されうることが示されている。権力を持つ人々や「マス」の人々が「表現の自由」を掲げ、他者を苦しめる表現を行うこと、そしてそのような行為を擁護することは、人権侵害であり、「暴力」に他ならないからである。

　しかし、こうした法律があるということで、「炎上広告」に対しても「規制」を行うべきということではない。表現のあり方に関しては、当該社会の多様な構成員たちによる公共の議論を通じて、またはせめぎ合いを通じて、いわゆる「有害な表現」に関する（ある程度の）共通の認識を構築していくことが求められる。実際、炎上した事例は、こうした社会的な議論が要されていることを意味する。例えば、2019年、イギリスの広告基準協議会は、テレビ、新聞、インターネットやソーシャルメディアにおける、「深刻もしくは広範な被害」につながる可能性のある「性別にもとづく有害なステレオタイプ」を使った広告を自律的に規制することにした。[*18] こうした動きは、広告をめぐる炎上／批判と議論、そして、広範囲な調査や研究の積み重ねによるものであった。

現在、日本における「萌えキャラ」「美少女キャラ」と関連した議論は「表現の自由」論争に収斂されやすく、問題提起するフェミニストたちをバッシングする形での戦場となっており、議論とは言い難いようにもみえる。また、フェミニストがすべての「萌えキャラ」「美少女キャラ」に問題提起しているわけではないのに、「萌えは気持ち悪い」という人たちがいる、というふうに、すべての「萌えキャラ」に反対しているかのようにみなすことも、議論の成立を難しくしている。そして、炎上した事例における問題提起を、ただ「気持ち悪い」「不愉快」などの感情論に起因させることも、議論の必要性を矮小化することで役に立たない。炎上した事例では、「身体としての女性」、「子どもとしての女性」、「成人女性としての少女」など、女性を客体化する一定の傾向がみられており、それをどのように考えるべきか、どうすればよいかは、それによってまず影響を受ける女性たちの声を沈黙させない形で、議論していく場を作っていくことが求められているのではなかろうか。

【注】

＊１　窪田順生「「日本を代表するコンテンツ」温泉むすめが炎上！ 美少女萌えとタバコ規制の微妙な関係」ITmedia ビジネス（https://www.itmedia.co.jp/business/articles/2111/23/news028.html、２０２２年12月5日アクセス）

＊２　仁藤夢乃 Yumeno Nito@colabo_yumeno、２０２１年11月15日投稿。（２０２２年11月16日アクセス）

＊３　市川孝一「社会化した広告表現――炎上ＣＭから見えてくるもの」『文芸研究』１３４号（明治大学、２０１８年、https://m-repo.lib.meiji.ac.jp/dspace/bitstream/10291/19499/1/bungeikenkyu_134_%2851%29.pdf）

＊４　FEM-NEWS「日本マンガは子どもポルノ禁止法違反」（２０１０年７月24日、https://frihet.exblog.jp/14829543/）

＊５　園田寿・曽我部真裕編著『改正児童ポルノ禁止法を考える』（日本評論社、２０１４年）

＊６　朴景信（朴容淑・訳）「児童ポルノ規制に対する国際条約及び外国法制に対する正しい理解」園田寿・曽我部真裕編著『改正児童ポルノ禁止法を考える』（日本評論社、２０１４年）

＊７　Martha Nussbaum, ‘Objectification’, *Philosophy and Public Affairs* 24(４), 1995.（マーサ・ヌスバウム「客体化」『哲学と公共』）

＊８　Rae Langton, *Sexual Solipsism: Philosophical Essays on Pornography and Objectification*, Oxford University Press, 2009.（レイ・ラングトン『セクシュアル・ソリプシズム――ポルノグラフィと客体化に関する哲学論考』）

＊９　Catharine MacKinnon, *Toward a Feminist Theory of the State*, Harvard University Press, 1989.（キャサリン・マッキノン『国家のフェミニスト理論に向けて』）

＊10　Sally Haslanger, *Resisting Reality: Social Construction and Social Critique*, Oxford University Press, 2012.（サリー・ハスランガー『現実に抗する――社会構築と社会批評』）
＊11　Kathleen Stock, ‘Sexual Objectification, Objectifying Images, and ‘Mind-Insensitive Seeing-As’, *Evaluative Perception*, Oxford University Press, 2018.（キャスリーン・ストック「性的客体化、客体化するイメージ、「無感覚な眼差し」」『評価的認識』）
＊12　Elinor Mason, *Feminist Philosophy: An Introduction*, Routledge, 2022.（エレナー・メイソン『フェミニスト哲学』）
＊13　American Psychological Association, *Report of the APA Task Force on the Sexualization of Girls*, 2007.（アメリカ心理学会「少女のセクシュアル化に関する報告書」２０２２年11月13日アクセス、https://www.apa.org/pi/women/programs/girls/report）
＊14　Rachel Calogero, ‘A Test of Objectification Theory: The Effect of the Male Gaze on Appearance Concerns in College Women’, *Psychology of Women Quarterly* 28, 2004.（レイチェル・カルジェロ「客体化理論のテスト――女子大学生における外見に対する男性の眼差しの効果」『女性心理学』）
＊15　Robin Gay and Emanuele Castano, ‘My Body or My Mind: The Impact of State and Trait Objectification on Women’s Cognitive Resources’, *European Journal of Social Psychology* 40, 2010.（ロビン・ゲイとエマニュエル・カスタノ「我が身体または我がこころ」『社会心理ヨーロッパジャーナル』）
＊16　Paul Wright and Robert Tokunaga, ‘Men’s Objectifying Media Consumption, Objectification of Women, and Attitudes Supportive of Violence Against Women’, *Archives of Sexual Behavior* 45, 2016.（ポール・ライトとロバート・トクナガ「男性の女性客体化メディ

ア消費、女性の客体化、そして、女性に対する暴力擁護態度」『性行動のアーカイブス』）

＊17 図3のイメージ出典（「のうりん」、「宇崎ちゃん」、「駅乃みちか」、「碧志摩メグ」順）
https://www.huffingtonpost.jp/2015/11/30/minokamo-nourin_n_8685222.html
https://president.jp/articles/-/37182?page=2
https://www.j-cast.com/2016/10/18280985.html?p=all
https://www.huffingtonpost.jp/2015/11/05/aoshima-megu-unofficial_n_8477178.html

＊18 「「有害な」男女のステレオタイプ描く広告、イギリスで禁止」BBC NEWS JAPAN（https://www.bbc.com/japanese/48659092、２０２２年12月5日アクセス）

03

なぜSNSでは冷静に対話できないのか

田中東子

田中東子 たなか・とうこ

東京大学大学院情報学環教授。早稲田大学教育学部助手および助教、十文字学園女子大学准教授、大妻女子大学文学部教授を経て、現職。専門分野はメディア文化論、ジェンダー研究、カルチュラル・スタディーズ。第3波以降のフェミニズムやポピュラー・フェミニズムの観点から、メディア文化における女性たちの実践について調査と研究を進めている。主著に『メディア文化とジェンダーの政治学』(世界思想社)、編著に『ガールズ・メディア・スタディーズ』(編著、北樹出版)、訳書にアンジェラ・マクロビー『フェミニズムとレジリエンスの政治』(共訳、青土社)など。

早朝、目を覚ます。枕もとのスマホを手に取りTwitterを開く。
夜の間に投稿された誰かのツイートをなんとなく眺める。
また、誰かと誰かが激しい言葉遣いで互いの投稿を攻撃しあっている。

――というようなことを、SNSのアカウントを持つ誰もが経験している2020年代。生活する中でTwitterやFacebookをはじめとするSNSを見ない日はない、というくらいにソーシャルメディアは私たちの日常生活に浸透している。

とはいえ、SNSの言論空間は、私たちの日常のすべてを覆いつくしているとまで言えるのだろうか？　そして、Twitterトレンドに入っている言葉や出来事は、私たちの社会全体で注目を集め、世論を形成しているとまで言えるのだろうか？　もしくは、なぜ私たちは毎日のように、オンラインの言論空間で人々が対立したり、炎上したり、攻撃したりされたりする場面を目撃し続けることになっているのか？

いくつもの疑問が浮かんでは消えていくなか、第3章で考えてみたいことを突き詰めてみるなら、「なぜ私たちは、SNS上で冷静に議論や討論をすることができないのだろうか？」という問いに収斂するのかもしれない。

SNSの言論空間は社会の総意なのか？

まず、SNSの言論空間が、本当に私たちの社会全体を覆いつくしているのかどうか、という疑問については、「否」と回答するべきだろう。否定する理由として、SNSの情報空間が、実は社会全体で共有されているものではないということを知る必要がある。

北村智、佐々木裕一、河井大介が2016年に刊行した『ツイッターの心理学——情報環境と利用者行動』では、「高いカスタマイズ可能性」という言葉で、インターネットの情報空間の特性について説明しているので紹介する。

北村らによると、SNSにはアカウントがあり、利用者はそのアカウントを通じて、自分自身が接触したい情報の範囲や内容について自分自身の情報空間を「カスタマイズ」できる。その結果、同じプラットフォームのサービスを利用していたとしても、利用者ごとに異なる内容が表示され、異なる情報に接触することになっている。このような異なる内容の表示や情報接触は、情報が「個人化」されている状態であると説明される。情報の個人化には「一時的個人化」と「永続的個人化」がある。前者は利用者の入力する内容に応じてセッションごとに提示内容が変化することを示し、後者は利用者が登録した情報やそれまでの利用履歴、もしくはアルゴリズムが自動取得していく情報に応じてアカウントごとに表示内容が続いていくという仕組みであると説明されている。

つまり、私たちが日々SNSで出会う情報は、アルゴリズムによって自分自身の好みに合うものだけに限定されていて、より狭い範囲のものでしかない状態になっているというのである。この「永続的個人化」がなされた情報空間は、「フィルターバブル」という言葉を使って考えてみると、さらに解析度が上がるかもしれない。

「フィルターバブル」とは、アルゴリズムがネット利用者個人の検索履歴やクリック履歴を分析し学習することで、個々の利用者にとっては望むと望まざるとにかかわらずアルゴリズムの見せたい情報が優先的に表示され、利用者の観点に合わない情報からは隔離され、自身の考え方や価値観の「バブル（泡）」の中に孤立するという情報環境を指す学術的な言葉である。情報学の専門用語であったが、最近では新聞などでも使われ、一般にも知られるようになった。

似たような現象を導く概念として、「エコーチェンバー」と呼ばれるものもある。こちらは、SNSを利用する際に自分と似た興味関心をもつ利用者ばかりをフォローし続けていくことで、その結果、自分が良いと感じる意見をSNSで発信した時に、自分と似た価値観の意見しか返ってこなくなるという状況を、閉ざされた小さな部屋で音が反響するという物理現象になぞらえた言葉である。

つまり、SNSのアカウント越しに接触する情報は、社会全体で共有されているどころか、個別化され、個人化されたものなのである。したがって、私たちがSNSで目にする情報は、個人の感覚からすれば日常的であり、社会のすべてを覆いつくしているかのように感じられるかもしれないが、実際には社会全体で共有されてなどいないし、社会全体を覆いつくすほどの影響力をもつとは限らない。

しかし、SNSと付き合う上でそれ以上に問題なのは、自分専用にカスタマイズされた情報空間が矢継ぎ早に更新されていくという、プラットフォームのもつ吸引力である。例えばTwitterの場合、自分自身でフォローしているアカウントのツイートが「タイムライン(TL)」と呼ばれるページに次々と表示されていく。この情報は、スクロールするごとに更新されていくため、チカチカと変わり続けていくTLをスクロールし続けてつい長時間見続けてしまう、という誘惑を私たちにもたらしている。実際、私自身も、1日の仕事が終わり疲れきった体をひきずるようにして電車に乗った時などに、ついTwitterを開き、スクロールしては更新され続けるTLを眺め続けてしまうという悪癖がある。これは、短時間で遊べるスマホゲームに「ハマってしまう」のと似たような効果をもっているのかもしれない。目も頭も疲れさせて。TLを眺め続けてしまう時に、「こんなことをしてる場合じゃない。

るし、駄目だ、すぐに閉じなきゃ……」と感じることはないだろうか？　積極的に情報収集をするわけでもなく、知り合いや、直接の知り合いではないけれどもフォローしているちょっとした著名人の他愛もない呟き、推しの日常報告、イベントのお知らせ、社会問題への意見の表明、怒りに満ちた引用リツイート、炎上している案件への介入、もっともらしい正義感の吐露、他人への誹謗中傷の文言……などを、さしたる関心があるわけでもないのに、気づけば30分以上眺め続けてしまうようなことはないだろうか？

こういう状態に陥ってしまった時に感じるのは、自分自身の意志の弱さである。これは、やらなくてはならない仕事や課題があるにもかかわらず、オンラインゲームで時間を費やしてしまったり、Netflixでシリーズ物のドラマを見続けてしまったりしたときなどにも抱いてしまう感情に、似たものであるかもしれない。

けれども、「意志が弱い」という言葉を思い浮かべた端から、すぐに「本当にそうなのだろうか？」という疑いも浮かんでくる。だらだらとＴＬを眺め続けてしまうのは（もしくは、だらだらとＴＬに投稿し続けてしまうのは）、本当に個人の意志の問題なのだろうか？　もしスクロールしてもＴＬの内容が更新されないのであれば、おそらく数分たらずでTwitterの画面を閉じることができるはずだ。かつて、Ｗｅｂ１・０時代のホームページはそうだった。自分自身でブックマークしているサイトを巡回し、更新案内が出ているページは時間をかけて読み、更新されていないページは飛ばしていく。さっき見に行ったページを数分後にまた見に行くということをする必要はなく、早くても1日1回、そうでなければ週に一度くらいのペースで覗きに行けば、欲しい情報はだいたい入手できていたというのが、かつてのオンライン空間だった。

だが、いまはどうだろう。フォローしている人が多ければ多いほど、TLでの情報更新は途切れなく続いていく。目まぐるしく移り変わる情報の流れの中に一度浸かってしまうと、どのタイミングでそこから離れればよいのか分からなくなる。ここには、個人の意志を超えて私たちの注意を引き付け続けようとする、Web2・0の技術と制度設計上の問題が潜んでいる。

同様に、SNSの言論空間で冷静に議論や討論を行うことができない理由として、私たちが他者に不寛容であり、自分とは異なる意見に耳を傾けることができないほど料簡が狭いからだ、などの個人の心構えが挙げられることについても、疑いの目を向けてみることができるかもしれない。私たちは本当に、自分自身の内なる攻撃性によって、SNSの空間で興奮し、けんか腰で、攻撃的な態度をとってしまうのだろうか？　本章ではむしろ、そのようにふるまってしまう原因の多くが、SNSを使うために提供されている環境そのものにあるのではないかと疑うことを提案したい。そして、冷静に議論や討論をするために、私たちには何が必要なのかという問いについて考え、より良い言論空間の生成に向けた提案をしていきたいと考えている。

その前に、まずはSNSの中でもとりわけ人々が対立し、冷静な対話を行いにくいと考えられるTwitterやその他のSNSでの事例をもとに、代表的な対立構造について類型化して考えてみることにしよう。

対立構造の類型化

SNSで人々が鍔迫《つばぜ》り合いの相互攻撃を展開する遠因には、ある人物や組織が投稿した内容についていっせいに非難するもの（A炎上型）、ある人物が投稿した意見の是非をめぐって議論が巻き起こるもの（B意見対立型）、ある出来事（事件だけでなく政策提案や法案の審議、「○○の日」への賛意の表明など）の争点や解釈の複数性によって議論が生じてしまうもの（C複数争点型）などが考えられる。

A 炎上型

炎上型について考える前に、まずはすでに一般化した「炎上」という現象について説明する。「炎上」という現象については、2007年に評論家の荻上チキが「ウェブ上の特定の対象に対して批判が殺到し、収まりがつかなさそうな状態」「特定の話題に関する議論の盛り上がり方が尋常ではなく、多くのブログや掲示板などでバッシングが行われる」状態のことであると説明している（『ウェブ炎上』）。現在、その主戦場はブログや掲示板よりむしろ、SNS、特にTwitterの投稿と、Yahoo!ニュースやYouTubeのコメント欄に移っている。

経済学者の山口真一によると、コロナ禍の自宅巣ごもり期間に炎上が増えているという。2020年4月の緊急事態宣言後のネットでの炎上件数は、前年同月と比べて3・4倍にのぼった。『デジタル・クライシス白書2022』[*1]によれば、2021年の炎上発生件数は1766件であり、前年比24・8%という大きな増加傾向を示している。

炎上型にはさらに、ミソジニーやセクシズム的な投稿、レイシズム的発言、さらにはインフルエンサーによる歪んだ人権感覚の吐露や非道徳的な投稿をめぐって炎上が起こる場合などがある。よくあるパターンとしては、法人のアカウントによる炎上案件である。例えば、商品の宣伝にかこつけて、アイキャッチとして萌え絵や商品と関係のない若い女性のエロティックなイラストを利用するような場合、被害者や被災者がいるような事故や出来事への配慮のない言葉を表明した時、世界基準では「セクシズム（性差別）」や「レイシズム（人種差別）」であるとみなされる発言をそうとは気づかぬまま垂れ流してしまったような際に、法人を批判する膨大な数の反応やリプライが集まってくるというような場合である。

例えば、2015年8月9日にディズニーの公式アカウントが「なんでもない日おめでとう」と投稿し、[*2]炎上した事件があった。8月9日は長崎への原爆投下の日であることから、批判が殺到し、その投稿はすぐに削除されディズニー側は謝罪することになった。この「なんでもない日おめでとう」という言い回しは、ディズニーアニメ「不思議の国のアリス」で歌われる「お誕生日じゃない日のうた」に出てくるフレーズであり、公式アカウントの運営者はおそらく悪意なくつぶやいたものであると思われる。しかし、ディズニーが原爆を投下したアメリカ合衆国の企業であることも重なり、「何でもなくねえよ長崎原爆落ちた日だろが」、「何万人も殺された日なのに知ったことではないということか?」などの批判が相次いだ。

また、2020年にはタカラトミーの公式アカウントが、「#個人情報を勝手に暴露します」というタグや、「とある筋から入手した、某小学5年生の女の子の個人情報を暴露しちゃいますね…!」という文言とともに、看板商品であるリカちゃんの、誕生日・星座・身長・体重・電話番号などのプロフィール情報をツイートし、「久しぶりに電話したら、昨日の夜はクリームシチュー食べたって教えてくれました。こんなおじさんにも優しくしてくれるリカちゃん……」などと投稿した。この投稿に対して、子どもを対象とした性犯罪を想起させる、成人男性に「優しくしてくれる」というようなケア役割を小学5年生の女児に押し付けている、など子どもむけ玩具メーカーとしての資質を問うような批判が殺到した。

もしくは、「Twitterの投稿やニュースサイトと動画投稿サイトのコメント欄にも、個人のアカウントによるレイシズムやヘイトスピーチ、セクシズムにあたる言葉が溢れている。特定の国籍・民族・ジェンダー・セクシュアリティ、もしくは障害のある人たちを名指しして蔑むような言葉がSNSの言論空間の中に途切れることはない。

インフルエンサーの歪んだ人権感覚や非道徳的な投稿も、その賛否を巡って対立を巻き起こす。生活保護の受給者や貧困層の人々を無邪気に蔑視するような動画を公開したり、社会運動に取り組む人々をからかい嘲るような投稿をしたり、200万人以上ものフォロワーやチャンネル登録者がいるインフルエンサーが、教養のなさと無知に基づいて社会的弱者を排斥するような発言を行うと、それらの発言への批判や抗議が集まり、さらにはインフルエンサーの支持者たちが批判や抗議をした人たちをさらに批判し、攻撃するというような負の連鎖が生まれることになる。

B 意見対立型

例えば、新型コロナウイルスに関しては、自粛の必要性、ワクチン接種の是非、マスクをつけるつけないなど、医学的知識のあるなしにかかわらず、多くの人たちが自分自身の感性に基づいて、それぞれの意見を表明している。しかし、それらの意見を裁定する確たる基準はなく、医学や科学に関する諸個人の発言は客観的な決着がつくことなく対立したまま放置される。

政治的イデオロギーをめぐっても、常に対立が生じている。右派は左派のことを「パヨク」と嘲り、左派は右派のことを「ネトウヨ（ネット右翼）」と蔑む。それぞれの派のフォロワーグループの投稿を見に行くと、同じ社会を生きているとは思えないほど、ものごとを見るスコープや世界観が異なっている。特に右派は、これほどまでに保守政党が議席を占めているにもかかわらず、常に日本は左派勢力とそのイデオロギーによって乗っ取られてしまうかのような被害者意識に満ちた発言や、人種差別や国籍や民族を理由にしたヘイトスピーチ、性差別被害者の女性を侮蔑する発言をまき散らしている。

「弱者男性」を自称する男性たちは、Twitter で女性差別に抗議する女性たちに「ツイフェミ」という侮蔑的な呼称を与え、ミソジニー的な攻撃を繰り返す。攻撃を受けた「ツイフェミ」とされる女性たちの中には、冷静かつ論理的に応答する者もいるかと思えば攻撃を仕掛けてきた男性たちと同レベルの侮蔑的で排除的な言葉遣いでやり返している者もいる。

男性による女性へのマンスプレイニングも、職業や地位を問わず、あらゆる女性の（ものとされる）アカウントに浴びせられている。政治や経済、社会問題からジェンダー、セクシュアリティにまつわる問題まで、あらゆるテーマについて、偉そうな態度で女性たちに教えてやろうとする調子での男性による投稿が溢れている。

他方、女性同士でもそれぞれの社会的ポジション（専業主婦、非正規雇用労働者、正規雇用労働者など）に応じて、もしくは異性愛主義や家父長制、トランスジェンダーへの考え方の違いに応じて対立が生じている。特に、女性自身の生活に関わる争点――例えば配偶者控除の見直しや選択的夫婦別姓など――については、社会的ポジションの違いによって、意見は対立することになる。

C　複数争点型

こちらは、イデオロギーや大きな社会問題をめぐるものではなく、むしろ日常に潜む分断を明るみに出してしまうような投稿をめぐって生じる対立である。例えば2020年7月8日の午前8時9分に投稿された、こちらのツイート。

「母親ならポテトサラダくらい作ったらどうだ」の声に驚いて振り向くと、惣菜コーナーで高齢の男性と、幼児連れの女性。男性はサッサと立ち去ったけど、女性は惣菜パックを手にして俯いたまま。私は咄嗟に娘を連れて、女性の目の前でポテトサラダ買った。2パックも買った。大丈夫ですよと念じながら。[*3]

一見したところ日常の出来事を他愛もなく呟いたようにも読めるこのツイートは、9・8万件のリツイートと2・1万件の引用ツイートをされ、35・2万件の「いいね」を獲得し、300件近い直リプをもらった。この数字は圧倒的であり、非常に注目を集めたツイートになったことが分かるだろう。反応の多くは、投稿主の目撃した出来事——高齢男性による幼児連れの母親へのマンスプレイニング——への驚きや非難、俯いたままの母親に対して投稿主がとった行動への称賛、もしくはポテトサラダを作ることがいかに大変な作業であるのかといった訴えなどであった。だが、こんなひどいことを言う男性が本当にいるのかという疑いや、「嘘松」（＝アニメ「おそ松さん」に由来し、実話のような体で嘘の「体験談」をSNSに投稿する人物を揶揄する言葉）との反応を見せるものもいた。

また、この高齢男性の言葉は、「母親であれば手料理を家族にたべさせるべきである」というような母親役割の押し付けであるように見えることから、多くの母親たちの反感を招いたことは想像に難くない。毎日新聞デジタルでも投稿から2日後の7月10日に、「「母親ならポテトサラダくらい作ったらどうだ」ツイートが大反響を呼んだ三つの視点」という記事が掲載され、この投稿をめぐる反響が大きかったことが分かる。

Twitter言論の危うさと、対立が引き起こされる理由

議論するために便宜上3つのカテゴリーに分けてみているが、いずれの場合においてもそれぞれのユーザーによる「意見の多様性」と「解釈の多様性」が表明され、しかし、表明された多様な意見と多様な解釈が対話や議論を通じて深められることなく投げ出されたまま放置されることで、対立が引き起こされ、分断が呼び込まれていることがみえてくるだろう。

昨今の「ダイバーシティ」への好意的な評価を見ても分かるように、「多様性」の表明それ自体は、本来的にはとても良いものであるはずである。実際、SNSの言論空間においては、これまで伝統的なマスメディアの送り手の地位を得ることができず、意見の表明や対話の空間から排斥されてきたさまざまなマイノリティの人々が、比較的簡単に多様な意見と多様な解釈を表明できるという社会的包摂の可能性も垣間見られることがある（例えば、

「#MeToo」、「#KuToo」「#保育園落ちた日本死ね」、「#検察庁法改正案に抗議します」などのハッシュタグを通じたオンライン上での意見の表明と同じ考えの人々がつながれる動きにはSNSの言論空間のもつ可能性が内包されている)。

しかし、多様性というものが、「人権」や「社会正義」などの共有された尺度のもとでの判断に照らされることなく、ただ投げ出されたまま「文字情報」として浮遊しつづけているのがSNSの言説空間の実体である。浮遊する「文字情報」からは発話者の属性や発話者間の関係性が消し去られているため、あらゆる発言は、その内容がどのようなものであれ、均等で対等なものであるかのように受け止められる。その上で、発言内容の「強度／強さ」を測るための指標は、「いいね」や「リツイート」や「コメント数」といった数の力に委ねられることになる。

また、新聞や雑誌や書籍の文字情報とは異なり、一般の人たちによって書かれたSNS上での「文字情報」は、第三者の視線による「編集」という作業を経ていない文章であり、不明瞭さや誤読を招きかねない表現がそのまま掲示されてしまう危険性に満ちている。「編集」を経ていない言葉には、言い足りなさ、単語選びのミスマッチ、推敲作業の欠落、意図を読み込みにくい表現、逆に意図とは異なる誤読を呼び込むような表現……など、多くの欠陥が含み込まれている可能性がある。

そして、特にTwitterに特有の問題だと考えられるのが、140字という文字数の制約だ。たとえ、ツリー状で文章を長く続けたとしても、その内容に反応する人々が、ツリーの文章のすべてをきちんと読んでくれるという保証はない。その結果、たとえ細やかな論旨を展開していたとしても、140字の1ツイートのみを見て、前後の文脈を顧みることなく反射的なリプライをもらうようなことも起こってしまいかねない。

さらに、議論や討論を行う際には、議題やテーマや議論の対象についてその定義や認識を共通のものとし、共有しておく必要があるが、発話者の属性や発話者間の関係性が消し去られているSNSでのやり取りにおいては、各発話者の立ち位置やバックボーン、前提としている知識の質と量についても相互の共通理解が成り立っていないまま、やりとりだけが行われることになる。

野党や左派の論客に向けて攻撃的で中傷的なコメントを繰り返し、15万人近いフォロワーを獲得していたいわゆる「ネトウヨ」的なアカウントをある小説家が名誉毀損で訴えてみたところ、そのアカウントの個人が大学を卒業して間もない青年であったと判明した、などという事件もあった。個人的な経験になるが、SNS経由で執拗に中傷的なリプライを送ってくるアカウントの投稿主を数週間にわたって観察してみたところ、都内の中高一貫の男子校に通う高校生であることが判明した、などという笑えない話もある。

つまり、私たちは炎上や意見の相違をきっかけとして、素性も職業も年齢も、場合によっては性別さえ判然としない相手と、一見したところ「対話のように見えなくもない」やり取りを行っているということになる。相手の社会的な立ち位置が分からないのだから、当然議論の前提となる言葉の定義や認識を共有することは困難になる。対話をしているテイに見えているようで、双方が自分の主張だけを述べ、相手の意見をお互いに一切聞いていない場合もあり、そのようなものを「対話」と呼んでしまうと「対話」という方法に失礼であろう。

相手の立ち位置、言葉の使い方、何に関心があり、何に疑問を感じていて、どこを目指して議論をしているのか、といった情報がなければ「対話」を成立させることは困難になる。その上、現在のSNSでは、フェイクニュースが投稿され、その論拠とされる写真やデータも本物と見まごうばかりの水準で改竄《かいざん》され（そうはいっても、まだまだ映像技術のプロフェッショナルにはすぐに見抜ける水準であるとのことだが、素人には無論見分けなどつかない）、そもそも議論のきっかけとなった投稿やニュースの真偽すら判然としないありさまなのである。

テックそのものの問題

その上、巨大ITのプラットフォームが提供する言論空間は、現状ではルール無用の無法地帯で、人権や社会正義よりも利益の方が優先されている。つまり、SNSの言論空間は、議論に意欲のあるレスラーばかりがいてリングはないプロレスの試合のような状態になっている。覆面をしたユーザー全員が、だだっ広い空間で相手が誰なのかも知らずに、むやみやたらに攻撃をしかけて場外乱闘している状態であると言えるかもしれない。

とはいえ、実際には最低限のルールはある。しかし、ルールを作っているのはプラットフォームを提供している巨大IT企業であり、そこには社会正義よりも企業利益優先の原則があり、経済的な強者のルールに弱者が従わなくてはならない。特に、GAFAMなどが提供しているプラットフォームを基盤とする言論空間は、その参加者の膨大さから、もはやある種の公共空間になってしまっているにもかかわらず、その運営を民間企業が担っているため国家が積極的に規制するわけにもいかない、というのが今現在起きている事態である。

さらに、GAFAMなどに代表される巨大IT企業は、「アルゴリズム」を利用して、ユーザーが惹きつけられれば惹きつけられるほど、広告を通じて利益が上がる仕組みを作り出している。その仕組みとは、ユーザーから個人データを収集してユーザーの好みや行動の予測を立て、その個人データを「商品」として提供することで「ターゲティング広告」の事業者などに利用させる、というものだ。つまり、プラットフォームを利用するユーザーが多くなり、利用時間が増えるほど、タダ同然でユーザーの個人情報を収集、獲得できるということになる。私たちユーザーは、SNSを「タダで利用できる」と感じているかもしれないが、タダで利用する代わりに、好みや嗜好性や移動ルートや購入品の情報などのプライベートで個人的な情報をこっそりと略奪されているわけだ。したがって、SNS利用は「タダで利用」とはまるで真逆のものとなっている。

つまり、SNSで論争や対立が引き起こされ、偽情報が拡散し、それらをめぐって人びとが喧々諤々《けんけんがくがく》、意見を発し、熱中してユーザーによるSNS利用時間が増えるほど、アルゴリズムはより多くの個人情報を集めることができるようになる。集積される個人情報の量が増え、より情報の精度が上がれば、その情報はより高い値段で取引されるようになる。取引された情報は、各ユーザーへのターゲット広告として戻ってきて、ユーザーの購買意欲を刺激することになるのである。

そのために開発されたのが「アテンション・エコノミー（注意力の経済）」という手法である。これは人口知能・認知科学の研究者であり1978年にノーベル経済学賞を受賞したハーバート・サイモン（1916〜2001）によって提起された。石田英敬によると、人間の意識と時間というものは無限のものではなく、物理的制約下におかれたものである（『大人のためのメディア論講義』）。しかし、今日の社会には情報やコンテンツが無数に生産され、人間の意識と時間の限界を超えた量が溢れかえっている。そのため、アルゴリズムは、私たちの時間・注意・意識の壮絶な奪い合いを行わなくてはならない。人間の意識や時間に対して過剰すぎる量の情報やコンテンツへの注意を引くために開発されたのが、「アテンション・エコノミー」というわけである。

例えば、YouTubeに投稿されている動画の総量は、ひとりの人間が一生をかけてもすべてを見終えることなどできないくらい長大な時間と膨大な数になっている。情報の氾濫は、受け手の注意力・意識・時間の奪い合いを引き起こす。したがって、動画を見てもらうためには、ユーザーの目を引くものであり、注意力を喚起できるものにしなくてはならない。そして、私たちの注目を集める情報というのは、つねに「正しい情報」や「有益な情報」であるとは限らないことから、人々の注目を集めるために、センセーショナルで過激で偽物かもしれない情報が溢れることになる。

そうであるにもかかわらず巨大IT企業が、提供しているSNSなどのプラットフォームの利用者から個人情報を収集・略奪していることは、ユーザーたち自身にはほとんど意識さ

れていない。自分たちのデータがアルゴリズムに提供され、広告のターゲットとされている
にもかかわらず、私たちは自分たちの人生が見られているということに気づいていない。

アルゴリズムが収集した情報に基づき、SNSやインターネットのブラウザに出てくる広告は、その広告を見ている本人に焦点を宛てた「ターゲティング広告」と呼ばれるものになっている。たしかに、ECサイトで洋服や本を買ったり、旅行の申し込みをしたり、不動産広告をクリックしたりしてみた後に、それらと関連する商品がリコメンド（おすすめ）される、という経験のある人は多くいることだろう。このように、洋服や本の事例であれば、アルゴリズムのリコメンドによって選択肢が限られ、狭い範囲の中でしか選べなくなってしまっているかもしれない、ということは理解しやすい。

同様のことが、政治問題や社会問題、日常生活を過ごす上で重要な様々な価値判断についても起きている。しかし、私たちは、洋服や本を選ぶ範囲が狭まっているかもしれない、ということに比べて、政治問題や社会問題、価値判断へのアクセスや選択の範囲が狭められている、ということには気づきづらい。けれども、SNSやインターネットを利用し、アルゴリズムによって個人情報が吸い取られるほどに、アルゴリズムが立てた予測の範囲の中に私たちの社会への認識や価値判断の範囲が押し込められていくことになる。つまり、私たちは政治や価値観や社会情報など、人間が生きていく上で極めて重要なものについても、アルゴ

リズムのおすすめに従って生きてしまいかねないのである。

私たちがある意見にのみ固執し、他者の意見にまったく耳を貸さなくなり、言葉のやり取りをしている風にみえたとしてもそこには「対話」というものが存在しておらず、分断ばかりが広がっていく。こうしたことが、いまSNSの言論空間で起きているさまざまな対立と、冷静に対話ができなくなってしまっていることの原因として横たわっているのである。

SNSでの分断のなにがどう問題なのか？

もし街中で——例えば大きなターミナル駅の構内で、誰彼構わず見知らぬ他人の首根っこを捕まえて、論争をふっかけたり、暴言を吐きつけたりするような人を見かけたら、この人はなんなんだろうと訝しく感じることだろう。物理的な場所においては、その場に居合わせている他者に暴言を投げかけたり、殴りかかったりしてはいけないという暗黙のルールや法律上の処罰があることにより、一定の秩序が保たれている。

おそらく、デジタル空間における言葉の発出と人間同士の関係も同様のものであると考えてみることができるのではないか。デジタル空間で起きている他者への攻撃や中傷コメントの投稿などを物理的空間におきかえてみるならば、それらはまさに「見知らぬ他人に暴言を吐く」とか「通りすがりの他人にいきなり殴りかかる」という暴力的な行為のようなものである。デジタル空間においてはルールや秩序がないままに、その空間に参入する人たちが、むやみやたらと他人に暴言を吐き、互いに互いの精神をえぐりあっている。とりわけ、「弱者」へのいびつな攻撃は絶えず湧き起こり、民主主義の融解ともいえる無法地帯が広がっている。

このルールも秩序もない新たな空間は、このまま放置され続けてしまうのだろうか？　そんな不安を抱くかもしれないが、いまＥＵでは、このような無法地帯に取り組み、巨大ＩＴ企業の巨大権力を制御しようとする動きが進み始めている。

解決に向けた取り組み

ＥＵでは、２０１８年に一般データ保護規則（ＧＤＰＲ）を施行し、プラットフォームやネット利用を通じて獲得された個人情報の保護を強化している。この法の施行は、欧州だけでなく個人情報に関する考えのグローバルな基準となりつつある（日本でも、２０２１年２月に巨大ＩＴに対して透明化を求める「デジタルプラットフォーム取引透明化法」を施行したが、ＥＵの取り組みほどには徹底されていないようである）。

欧州議会は2022年7月5日に、巨大ITを規制するための二つの規制法案を可決した。これまでは巨大IT企業の違反が判明すると独占禁止法に基づいて対応してきたが、企業間の公正な競争を維持し、個人情報を保護し、巨大IT企業が自社サービスを優遇しないことなどをより強く求めることになった。

一つめは、巨大ITによる不公正な競争状態を是正するための「デジタルマーケット法(Digital Markets Act)[*4]」であり、2022年11月1日に施行された(適用は2023年5月2日から)。欧州委員会のプレスリリースによると、「この新規則は、オンラインプラットフォーム経済においてゲートキーパーとして機能する企業による不公正な慣行に終止符を打つもの」であるとされ、2020年12月に欧州委員会が提案し、2022年3月に記録的な早さで欧州議会と理事会で合意された。こちらは、GoogleやAppleなど巨大ITが他社と競合する自社のアプリやサービスなどを自社のプラットフォームで優遇することを禁止し、独占の制御を目指すものである。違反時の罰金が年間世界売上高の最大10%になるとみられている。

二つめは、違法コンテンツや偽情報対策を明記し、個人データを利用した広告配信を制限する「デジタルサービス法(Digital Services Act)[*5]」であり、2022年11月に施行され、2024年から適用開始される。デジタルサービス法は、「当局や特定の研究者がアルゴリズムにアクセスできるようにしなければならない」と定めている。他にも、ヘイトスピーチや児童ポルノなど違法コンテンツを排除することの義務化、ターゲティング広告を未成年に配信することの禁止、宗教や性別や性的指向などのデータをターゲティング広告に利用することの禁止などを求めている。特に、「レコメンド機能」に関する「アルゴリズムの透明化」も盛り込まれていることは注目に価する。こちらは、違反企業に最大で世界売上高の6％の制裁金を科すという厳しい内容になっている。

これら二つの法規制は、欧州委員会によると、「ユーザーの基本的権利が保護されたより安全なデジタル空間を作り出し、企業にとって公平な競争条件を確立すること」を目的としていることになる。

2022年11月3日の毎日新聞の記事「デジタルを問う——欧州からの報告」では、ハーバード大学経営大学院名誉教授のショシャナ・ズボフに取材し、これらの規制は、監視資本主義から「民主主義を救い出す」ためのきっかけになると評価していることを報道した。

解決に向けた哲学のようなもの

デジタル技術が発展したことによって、私たちの生活には大きな変革がもたらされた。特にコロナ禍の最中において、オンラインを通じたコミュニケーションやショッピング、さまざまな情報へのアクセスや教育活動など、デジタル化によってもたらされた数多くの英知と新たな方法は、確実に私たちの生活を豊かにしてくれている。

また、巨大IT企業が提供するプラットフォームは、問題含みではあるとはいえ、ユーザーたちに新たなネットワークやコミュニティ形成の機会を与え、また、国境を越えたつながりを容易に生み出し、新しい産業や市場の拡大にも貢献している。

こうしたさまざまな利便性や、これまで一方的に情報やコミュニケーションの受け手の地位におかれていた一般の人々にとってチャンスの拡大があったということについて否定することはできないが、それと同時に生じた様々な問題が、私たちの生活と文化に暗い影を落としていることもまた、否定できない事実なのである。ヘイトや差別的言説、ミソジニーやレイシズム、偽情報の拡散といった、人権や人々のウェルビーイングを損なうような有害な情報の増幅は、私たちを常に対立させ、終わりのない憎しみを煽り立てているのである。

もはやデジタルプラットフォームは私たちの日常をとりまく「生態系（ecosystems）」ともいえる規模で展開されており、その生態系の汚染は私たちの精神や肉体へも悪影響を及ぼす危険性がある。こうした危険性に気づいてしまったならば、人権と民主主義、デジタルウェルビーイングの向上に向けた試みに、私たちは真剣に取り組む必要がある。

これらの問題に取り組むことによって、朝の憂鬱な目覚め、ＳＮＳを開くたびに絶望的な気持ちに陥ることから、私たちはようやく前を向いて歩くことができるようになるのではないだろうか。

【注】

＊1　デジタル・クライシス総合研究所編『デジタル・クライシス白書２０２２』(https://www.siemple.co.jp/document/hakusyo2022/、最終アクセス日２０２２年11月6日)

＊2　「ディズニー公式、長崎原爆の日に「なんでもない日おめでとう」」ハフポスト(https://www.huffingtonpost.jp/2015/08/09/unbirthday-to-you_n_7960978.html、最終アクセス日２０２２年11月6日)

＊3　みつばち@mitsu_bachi_bee、２０２０年7月8日投稿。「「母親ならポテトサラダくらい作ったらどうだ」　ツイートが大反響を呼んだ三つの視点」毎日新聞(https://mainichi.jp/articles/20200710/k00/00m/040/199000c、最終アクセス日２０２０年7月10日)

＊4　「Digital Markets Act: rules for digital gatekeepers to ensure open markets enter into force」、European Commission、31 October 2022 (https://ec.europa.eu/commission/presscorner/detail/en/IP_22_6423、最終アクセス日２０２２年11月6日)

＊5　「The Digital Services Act package」European Commission (https://digital-strategy.

ec.europa.eu/en/policies/digital-services-act-package、最終アクセス日２０２２年11月６日）

【参考文献ほか】

石田英敬『大人のためのメディア論講義』（ちくま新書、２０１６年）

北村智・佐々木裕一・河井大介『ツイッターの心理学――情報環境と利用者行動』（誠信書房、２０１６年）

荻上チキ『ウェブ炎上――ネット群集の暴走と可能性』（ちくま新書、２００７年）

「デジタルを問う――欧州からの報告」『毎日新聞』（２０２２年11月3日朝刊、1面、3面）

「巨大ＩＴの規制強化　関連法、相次ぎ施行――ＥＵ」JIJI.COM、２０２２年11月２日（https://www.jiji.com/jc/article?k=2022110100879&g=int、最終アクセス日２０２２年11月６日）

「偽ニュースは民主主義を壊す強大な「兵器」だ――煽情的なネット情報は「一歩ためる」構えを」東洋経済ONLINE ２０１９年3月16日（https://toyokeizai.net/articles/-/262561?page=4、最終アクセス日２０２２年11月６日）

特別対談

02

ネット世論は世論ではない

山口真一、小島慶子

山口真一　やまぐち・しんいち

1986年生まれ。博士(経済学・慶應義塾大学)。2020年より国際大学グローバル・コミュニケーション・センター准教授。専門は計量経済学、ネットメディア論、情報経済論等。NHKや日本経済新聞などのメディアにも多数出演・掲載。主な著作に『正義を振りかざす「極端な人」の正体』(光文社)、『なぜ、それは儲かるのか』(草思社)、『炎上とクチコミの経済学』(朝日新聞出版)、『ソーシャルメディア解体全書』『ネット炎上の研究』(後者は共著、勁草書房)などがある。

解決ではなく改善

山口真一（以下、山口）　ソーシャルメディアは、誰もが自由に情報を発信し共有することを可能にしました。それによってもたらされた時代を、私は「人類総メディア時代」と呼んでいます。これまで何かを発信する際には、マスメディアがファクト・チェックや差別的な表現の規制など、一定の基準を設けて行ってきました（それでもいろんな問題もあったわけですが）。ですが、個人の発信の時代にあって、様々な問題が頻発しています。SNSは便利なツールですが、負の側面も多々あり、そちらのほうが今は目立ってしまっているようです。

どんな問題があるのか、みんなが改めて認識したうえで、各人の選択のなかでもっと他者を尊重するようになり、一人ひとりが少しずつ発信に気を遣えるような社会になれば、もっと豊かな情報社会になるはずだと僕は、いつも思っています。いかにしてその負の側面を減らし、いいところを盛り上げることができるのか、それが今の課題だと感じます。

小島慶子（以下、小島）　山口さんのご本のなかにもありましたが、罪深いことに、ネットでの炎上を既存メディアが取り上げることで、かえってそれを拡散、増幅させるようなケースが見られます。

私は東京の放送局で1995年から2010年まで働いていたのですが、まだネットがテレビを逆転する以前の時代ですね、入社当時にはiPhoneもこの世になかったですし（笑）、まだテレビがかろうじて主流メディアだった頃です。新人研修では放送局の社員として、公器である放送でものを出すことが世の中にどう影響するか、その責任を意識することを徹底的に叩き込まれました。差別表現や誤解を与える表現などについても学ぶ機会がありました。アナウンサーだったこともあり、人前ではつねに「放送人として」という視点で考える習慣がついたんです。

それと、95年の入社直前に阪神淡路大震災と地下鉄サリン事件が起きて、メディアの仕事の重要性を実感したのと、入社2年目にTBSオウム事件というのがあって……筑紫哲也さんが「TBSは死んだ」と言った有名な事件ですが、社内でも労組が経営側を強く批判して議論が起きていたんです。その時、若手社員ながら真剣にメディアの仕事について考えて、労組のアンケートにびっしり意見を書いたりしたんですよね。だから私は、放送局で働くというのはすごく大きな責任を負っているという認識だったんです。それは放送局をやめた今も染み付いていて、放送メディアへの出演ではもちろん、webメディアでものを書くときやSNSの投稿でも、言葉が世の中とつながっていることを常に意識しています。

山口　とても大切なことだと思います。今も昔も変わらず、発信には常に責任が伴うので。

小島　2010年代以降、スマホとSNSの浸透によって、いわばメディアの民主化が起きたわけですが、誰もが手のひらの中に世界に向けて発信できるツールを持っているにもかかわらず、基礎的なメディア教育を受ける機会がないですよね。だから自分の発信が社会にどんな影響を与えるかに無自覚なまま、発言したりいいねを押したりしてしまう。

メディア不信が言われて久しいですが、既存メディアは情報を握って偉そうにしている特権階級だ、信用できないと感じている人が増えています。確かにオールド・メディアが時代についていけておらず、改善するべき点はたくさんあります。ただ、ネットは信用できる情報ばかりかと言ったらそんなことはないですよね。根拠不明のフェイクニュースや匿名の暴言がたくさんあります。ネットでの発言は個人的なものだから責任はないと思っている人も多いでしょう。メディアの民主化に伴って、個人にも自分の発信が社会に与える影響を考える責任が生じるのに、大手メディアの発信と個人の発信を完全に別物としてとらえているように思います。

今や「人類総メディア時代」、つまりパソコンとスマホを手にしたときから、人は誰でも世界に向けて発信して、世の中に影響を与えうる存在になった。かつてはメディアのプロしか知らなかったような知識や技術を、基礎的教養として身につけたほうがいいんじゃないでしょうか？

山口　そうですね、究極的にはそれがもっとも望ましいかたちだと思います。しかし、すべての人たちにプロの発信者としての意識を持ってもらうのは、相当むずかしいと思うんですね。ただし責任は感じてほしい。社会に発信する以上、そこには必ず責任が生じます。自分が発信したことで他者を傷つけたり、名誉を毀損してしまうことがある。あるいはデマを拡散してしまうことがある。それによって罪に問われることもあります。そういう責任のもとで発信しているという意識は、最低限持ってほしいと思っています。もちろん人間には間違えることがあります。しかし、何も考えずにただ楽しいから投稿するというのは避けたほうがいいですね。

誹謗中傷やフェイクニュースについて話していると、特にメディア関係者の方からよく訊かれるのは、「侮辱罪を厳罰化すれば、誹謗中傷はなくなるか」ということです。それは絶対ないと私は思います。フェイクニュースも誹謗中傷も、SNSが普及するずっと前からあったもので、今はそれが、SNSによって格段に大きな影響力を持ってしまった状態です。元々あったものが、厳罰化によってなくなることはない。私たちにできるのは、解決じゃなくて改善です。

小島　私、ネットの現状って、自動車が登場したばっかりの頃の道路と似ている気がするんですよね。事故多発、制限速度も取り締まりもないという。それどころか、フェイクニュースの流布やネット炎上の有様を見ていると、デマや迷信を根拠に人が石を投げられ、火炙りにされていた中世にまで退行したような状況です。道具は進化したのに人間社会は退化してるじゃないかと。やっぱり人が死なないようにするルールが必要じゃないかと思うんですが。

山口　まさにそうですね。

われわれは自動車という、自分の身の丈に合わない移動手段を手に入れた。車はかつてものすごく事故が多かったけれども、啓発を徹底し、取り締まりを強化するといったことによって、それを徐々に減らしてきたわけですね。

SNSもまた、個々人にとっては身の丈に合わない発信力をもたらす。例えば、私が今この瞬間に他国の大統領に対してヘイトスピーチを書くこともできます。これはいままで誰も経験したことがない状態です。しかし、車と同じように、SNSについても状況を改善することは可能なはずです。そのためには、政府や自治体だけでなく、プラットフォーム事業者や個人ユーザーまで、すべての人が少しずつ変わっていくことが必要です。

小島　自動車の場合、人を殺すかもしれないし自分も死ぬかもしれないから、道路交通法で取り締まったり、事故を起こしたときの罰則がどんどん厳しくなったりするのも納得がいくでしょう。実際「交通戦争」と言われた時代から、事故での死者は減っている。だけどSNSは違います。自分たちには表現の自由があるんだから、法律や規制でそれを縛ることは民主主義を殺すことになる、という反論が必ず出ます。この反論についてはどう思われますか。

山口　その反論も、一部は間違っていないと思います。ただ、表現の自由については誤解しているところがある。表現の自由は無制限ではないと憲法にも書いてあります。社会に対してネガティブな影響を及ぼす場合には、必ずしも表現の自由の対象ではない。差別や誹謗中傷をしていいかといったらそんなことないわけですね。自動車も同じで、免許さえ持っていれば、われわれには運転する自由があるわけです。被害の大きさで考えれば、私は自動車よりSNSのほうが大きいと思っています。多くの人が精神的に何かしらネガティブな影響を受けていて、亡くなる方もたくさんいるわけですから。

小島　そうですね。ネットいじめが深刻化しているし、SNSでマイノリティへの差別発言や憎悪発言を見て、恐怖や不安を感じている人がどれほどいるか。

山口　言葉は人を殺すわけですよね。表現の自由が大切であるというのは至極当然で、われわれがそれを守らなきゃいけないからこそ、他者を尊重するということをつねに意識する必要があります。仮にSNSが原因で亡くなる人が次から次へと出てくれば、政府はいずれ法改正に踏み切るでしょう。その行き着く先が、政府による表現規制であることは目に見えている。だからこそ、われわれ自身がまず、理性的な使い方を逸脱しないということです。

ネット世論は世論ではない

小島　ネットの書き込みって、あたかも〝世の中の声〟であるかのように見えてしまうんですよね。それが多くの人を不安にさせています。誰が書き込んだかもわからないようなものが、本物の世論のように見えてしまう、これはなぜなんでしょうか。

山口　私の研究では、例えばネット炎上で、Twitter上でネガティブな発信をしているのはユーザー全体の0・00025％に過ぎないことがわかっています。これはおおよそ40万人に一人ですから、すごく少ないですよね。ネット炎上をサンプリングして分析したなかには、15人くらいしかネガティブなことを書いてないようなケースもありました。しかも同じユーザーが何回も書いてるわけです。

あるサイエンス・ライターの方が誹謗中傷を受けて裁判を起こしたら、被告の男性というのはTwitter上に200以上のアカウントを作って攻撃していた。こういうことがざらに起こっています。アカウントを200持っている人はていません。一人が同じようなネガティブな発言を100回書くなんてことはごくふつうにあります。そうすると、ごく少数の意見があたかも世論であるかのように見えてしまう。

人は、基本的には自分の見える世界でしか物事を判断できません。例えば、あることについて300人くらいの人が騒いでいる。でも他の人たちはそれに興味がない、あるいは支持しているけどそれをあえて発信することはしない。反対意見を言ったら自分が攻撃されるかもしれないと思う人もいる。表現の萎縮ですね。そういうサイレント・マジョリティ、声をあげないマジョリティの人たちがいるわけです。しかし、ネット言論空間のなかでは、ノイジー・マイノリティの人たちだけが可視化されているので、あたかもその人たちがマジョリティであるかのように見えてしまう。これがまさに「人類総メディア時代」の肝となる部分です。

SNSというのは、人類が初めて経験する能動的な発信しかない言論空間なんです。世論調査は訊かれたから答えるという受動的な発信だから、社会の意見分布に近いんですね。あるいは、いま私たちがしているような会話には言葉のキャッチボールがあるので、能動的な発信と受動的な発信の両方が含まれます。これに対して、ネットは基本的には自分が言いたいから言うだけの空間であって、そこにはモデレーターもなく、発信をストップさせるような人もいない。だから、極端な意見や攻撃的な意見を発信することがすごく簡単にできる。私の研究では、極端な意見を持っている人のほうがネット上で大量に発信していることがわかっています。

小島　なるほど。「おおかたの意見」を知るためにネットを見ても、実は「極端な人」しか見えていないんですね。これは肝に銘じておかなければですね。

山口　この傾向は、例えば憲法改正というテーマについて分析すると顕著に表れます。「改正に大いに賛成である」から「改正には絶対に反対である」までの七段階で社会の意見分布を調査すると、山型の分布で中庸的な意見の人が最も多い。ところが、これをＳＮＳの投稿回数で分析すると、最も多く発信されているのが「大いに賛成である」人の意見です。そして次に多く発信されているのが、「絶対に反対である」人の意見。この人たちはそれぞれ社会全体の7％を占めているに過ぎないのですが、ＳＮＳ上の発信量では合計46％、つまり約半分を占めていた。この人たちは極端な意見を持っているので議論にはならず、互いを攻撃することに終始する。これこそがネットで起こっている現象です。私たちは、そういう構造のなかで切り取られた世界だけを見ているんですね。

問題は、マスメディアもそのことをあまり理解できていないということです。私が新聞社から取材を受ける際にも、ＳＮＳではこのあいだまでこういう意見だったが、ある時期以降こういうふうに変わっている、これはなぜか、というふうに訊かれることがあります。それは端的に発信者が変わっただけです。ごく一部を切り取ったところしか見ていないがゆえに、人の意見がコロコロ変わっているように見えるんです。まずは、自分の見ている世界が切り取られた偏ったものであるということを理解する必要があります。

わかりやすい事例で言うと、前回の東京都知事選では小池さんが圧勝したわけですが、Twitterを分析すると二つのクラスターが出てきたんですね。一番大きいクラスターは、小池さんを批判するもの、データ上は90％くらいを占めています。もう一つは10％のクラスターで、桜井誠さんという保守的な候補を推す人たち。Twitter上には小池さんを応援するクラスターは一つもなかったのですが、選挙結果はトリプルスコアくらいでの勝利でした。ネット上の意見は世論とは別物だということがよくわかります。ネットの意見を参考にするのは別にいい、そこからわかることもたくさんあります。しかし、重要なのは「ネット世論」は世論ではないという事実を押さえておくことで、それを知っているか知らないかということだけでも全然違うと思います。

ネットの言論空間を変える

小島　ネットは、両極端の人が罵倒し合う場所、きわめて偏った意見がマジョリティの意見であるかのように見えてしまう場所であると。

山口さんは、SNSを建設的で、サイレント・マジョリティの意見が可視化されるような場所に変えることは可能だと思われますか。それを市民がやることが可能なのか。

メディアリテラシーを身につけた一般市民、あるいはオールド・メディアがネットの言論空間に介入するかたちで、よりマシなものに変えていくことができるのか。できるんじゃないかと考えるのはあまりに楽観的すぎるでしょうか？

山口　いや、楽観的すぎるということはないと思いますね。今、そういう意見の高まりがあるのを私も感じています。ネットの言説空間を変えていくには、様々な方法が考えられます。それこそモデレーターをつけるとか、アルゴリズムを用いて両論併記にするとか、プラットフォーム事業者は今そういう技術について関心を持っているはずです。

例えばNewsPicksは、まさにそれを考えていたわけですね、実態として今そうなってるかは別の話として。他にも、スマートニュースはフィルターバブルの問題を解決する試みをおこなっています。フィルターバブルの問題とは、自分の見たいものばかり見てしまって、意見が極端になったり、視野が狭くなったりすることです。だからあえてノイズを入れるような工夫を施すなど、いろいろな事業者が状況の改善を考えている。Yahoo!のニュースコメント欄も、アルゴリズムを使って建設的な議論モデルに近づいています。論理的なコメントが上のほうに表示されるようになってきている。

小島　工夫しようとはしているようですね。

山口　それでもネット上の言論はまだ偏っています。Yahoo!の例でいうと、問題は二つあって、一つは、誹謗中傷的なものがまだかなり残っているということ。もう一つが、論理的な文章か否かでコメントが表示される順序が決まるということ。反ワクチン的な考えを持った人が、論理的な文章で大量に書けば、そのようなコメントばかりが上に来ます。実際そういった現象が起きているのですが、それでは議論にならないですよね。反ワクチン派とワクチン賛成派の両方が上にくるならいいんです。まずは両論併記になることが重要です。

実際Amazonレビューなどは両論併記になっています。なぜそれができるかというと、点数をつけているからです。つまり1点のレビューと5点のレビューをバランスよく抽出できる。それに対して、ニュースのコメント欄に点数評価という項目はないので、それに代わる方法を開発しようとしている現状なのでしょう。例えば、何かについて一人1回しか発信できないようにするといった制限を設ければ、状況は少し変わってくると思います。

そういうふうに、プラットフォーム事業者がアーキテクチャ上で工夫を凝らすことで、ネットの言説空間が変わっていく可能性があります。

小島　両論併記は、なんでもありの混沌状態よりはいいと思いますが、たとえば人権に関するイシューでは、両論併記することによって人権を否定するような差別的意見にある一定のお墨付きを与えてしまうリスクもありますよね。全ての議論が単なる両論併記でいいのか、という疑問は残ります。また、両論併記で表示された意見の中にいわゆるデマレベルの科学的に誤った情報や、明らかな事実誤認が含まれている場合、それを放置してもいいのかという点も疑問です。やはり「建設的な議論の場になっているか、差別の助長や誤った情報の拡散がなされていないか」と責任を持って監修するのは人間の役割ではないかと思います。

山口　人がモデレーションする方法もあります。本来であれば、マスメディアこそが、この役割を担うべきだと私は思っています。しかし、現状ではマスメディアの方たちはあまりにもネットに親和性がない。そのためこの方向性はあまり進んでおらず、私の知る限り、世界的に見てもこれをうまくやれている例はあまりありません。

小島　私はかつて新聞社の外部委員を5年ほど務めていましたが、大手新聞社の上層部というのは、ネットの意見を真に受けてやたら怖がる割に、ネット炎上の危機管理が甘い。それが不思議で仕方なかった。そんなに気にしているのに、自社の記事がどう読まれるか、ネットでどのような反応が生じうるか、ということに対する想像力が足りないんです。大手新聞社という象牙の塔のなかにずっと暮らしていた弊害だと思うのですが、驚くほどネットのリテラシーが低かったんですよね。さすがに生き残りのために改善していくとは思いますが……。マスメディアがモデレーションの役割を担えないのであれば、どんな形がありますか。

山口　私の師匠でもある慶應大学の田中辰雄先生がよく言っているものに、サロン型SNSというものがあります。そこでは、ある特定の問題について、有識者がサロンに入ってお互いにリプライを飛ばし、議論することができる。サロンのなかにはオブザーバーもいて、オブザーバーはオブザーバー同士では議論ができますが、有識者に向けて直接意見することはできない。そうすると、偏った立場から攻撃的なリプライが出てくることがなくなり、議論が活性化するんじゃないか。サロン型の欠点は、「有識者」をいったい誰が、どうやって決めるのかということです。まずここで、「炎上」が起きるかもしれない。とはいえ、そういう議論がかなり活発になってきてはいるので、いずれ改善策が出てくると思います。それでも、Twitter みたいなオープンなSNSが主流であり続けることにはおそらく変わりはないと思います。

小島　Twitter に関しては、イーロン・マスクが買収した結果、どういう変質を遂げるのかが非常に気掛かりですが……。サロン形式というのは興味深いですね。どんな人も立ち入れる広場もありつつ、今おっしゃったサロン形式のような、小宇宙系のものが増えていくかもしれない。もう少し建設的な議論の場を作っていく希望は、ないわけではないということですね。山口さんは、ネットでの匿名性をなくすということについてはどうお考えでしょうか。

山口　私はネット全体の匿名性をなくすことに

は反対ですが、匿名性をなくしたプラットフォームもあるのはいいことだと思います。ただ、そこが平和になるかといえば、それはまた別の問題ですね。実名が原則となっているFacebookなどを見ていてもわかりますが、何かニュースが上がってくると、そこにもどうしようもないコメントが結構つきます。実名になっても書く人は書くということです。

韓国では、インターネットの実名制を2012年まで敷いていましたが、そのときもなくなった現在も、悪意のある書き込みの割合は、ほとんど変わらなかったんです。なぜかというと、誹謗中傷に類するコメントを書く人というのは、自分が正しいと思って書いているからです。これは正当な批判だ、相手が悪いんだから当たり前だというふうに思っている。自分が問題のある行動をしているということに気づいていないんです。炎上参加者の6割から7割は正義感から書いていることが、私の調査で分かっています。ここで言う正義感とは、社会的正義ではなく自分のなかの「個人的正義」です。だから1億人いたら1億通りの「正しい／間違っている」がある。その各々の価値観に基づいた正義感で人をバッシングするのが炎上の姿です。そういう意味で、実名にしても止まらないものは止まらないのかなと思います。

小島　確かに、正義感が動機だと恐れるものなしですよね……。冒頭にお話ししたように、かつては不特定多数の人にものを伝えるとか、物事を掘り起こして事実を調べ、それを報道するというのは、ごく一部の特権的な人しかやっていなかったわけですよね。人が自分の思っていることを言ったり、調べたことを伝えたり、創作したものを多くの人びとに見てもらう機会は極めて稀だった。今はネットで子どもでも簡単にできる。これがメディアの民主化ということだと思います。

Twitter やSNS黎明期のときには、メディアの民主化によって例えば「アラブの春」のようなことが起き、世界のいろんな人が自由になれるんだっていう夢がありました。でもその「アラブの春」は挫折。人々がネットを介して連帯し、行動を起こしてみたところで、世界がよくなったわけじゃないじゃないか、と、夢自体も消えてしまった。

その一方で、#MeToo ムーブメントなどもそうですが、実際に社会が大きく、よい方向に変わった面もあります。だから絶望せずにコミットすることが大切だと思うんです。

山口　今のネットの良い面として何があるかというと、例えばマイノリティの人同士が、互いにつながれることです。そういうコミュニティづくりについてはうまく機能していると思います。

そもそもインターネットが出てきたときに期待されたのは、誰もが自由に発信できることで議論が深まり、完全な民主主義が達成されるということでした。それまで誰もが発信できるような場は存在しなかったし、だからこそわれわれの社会は代表民主制を取っているわけです。

ところが、蓋を開けてみたら、極端な人ばかりが発信していてまったく議論ができない。ハッシュタグ運動なども偏りが歴然とある。

何か社会的に問題があるとき、それについて熟議することがとても大切ですし、むしろ熟議の先にある合意形成こそが、ネットに期待されることだと思います。しかし結局のところ、できていない。そのような環境を作るプラットフォームを考えることは、重要な課題だと思います。

攻撃的な人と「おっさん性」

小島 山口さんのご本のなかで、そういうネガティブで攻撃的な書き込みをしている人の属性は、おもに男性でそこそこ年収と社会的地位があり、「自分は正しい、叱ってやろう」という気持ちから書き込むことが多い、と書かれています。そういう人は、ネットで何を書いても、自分には危険が及ばないと思っているんでしょうか。自分を無敵の強者だと思っているのか、間違いなくマジョリティの同意を得られると信じているのか。実名で攻撃的な書き込みをするときには、社会的信用を失うリスクや、恨みを買う可能性などを考えて、不安になるものではないかと思うんですが。

山口 そういうこともあるかもしれませんが、自分が何かを発信したときに誰かから攻撃されるかもしれないと想定するのは、ある程度リテラシーの高い人間だけで、基本的にはそこまで考えていないのだと思います。本人からすれば、自分は正しいから、相手が悪いから書いているだけで、それによって相手がどう思い、どう反撃してくるかとか、そういうことは全然考えてない。考えないからこそ書けるんですよね。

小島 その想像力の欠如はなかなかに興味深いですね。もしかしたら日常生活でも他者の気持ちに無頓着でいられるから、そもそもネットのリテラシーが育たないのかもしれません。つまりはリアルな生活でもその人は自分の正義を押し付けて、周りからめんどくさい人扱いされているけど本人は全然気づかない……という環境を生きているんじゃないかとも思います。

　最近、ＰＨＰ新書から『おっさん社会が生きづらい』というタイトルの対談集を出しました。「おっさん性」というのは、母性とか父性とか幼児性のように、人のなかにある程度標準装備されて関係なく、人のなかにある程度標準装備されている心性ではないかと思うんです。権力を持つ立場や、周囲が合わせてくれる環境に身を置くと、発露されてしまう独善性です。あるいはそうした態度をよしとして黙認する心性ですね。

　自分に対する疑いがない。組織での立場や経済力をも聞く耳を持たない。相手が何か言っても聞く耳を持たない。組織での立場や経済力を自身の絶対的な優位性と勘違いしている。こうした立場主義は中学生の部活の上下関係においても顕著ですし、組織に属さない女性である私のなかにも〝おっさん性〟はあります。

　そもそもこの社会自体が、そういう「おっさん性」を肥大化させないと生き残れないようにできている。組織や社会を動かす権限を持つ人たちが、自身に都合のいい価値観を周囲に押しつけ、周囲の人はそれに疑問を抱かずに従うことによってしか、居場所を確保できないという構造です。社会の中で権限が集中しているのは歴史的にも年嵩の男性たちであり続けてきたので、そうした立場の人間にことに顕著な独善性を〝おっさん性〟と名付けてみたのですが。

　でも実は、独善的になるのは自分が不安だからなのではないかとも思うんですよね。他者によって変えられてしまう自分を恐れている。だから周囲の声に耳を貸さず、想像力も働かせない。そんなふうに大声で何かを言い切る人間の周りには、〝強そうに見える側〟に同化して安心したい人たちが集まります。とすると、ネット上で威勢がいい人たちは、不安な人たちの集団と見ることもできる気がします。

山口　小島さんのおっしゃる「おっさん性」と私のいう「おっさん性」は、ちょっと定義が違うと思うんですが、モヤモヤの原点は私もよくわかります。日本では女性の社会進出が問題になっているわけですが、いまの日本で女性が働いてそれなりの地位を手に入れるには、「おっさん性」がないといけない場合が多い。男性化しないと昇進できないし、男性に迎合することでしか上には行けない。これは非常によくないと思います。女性が女性として活躍していると いうのが、本来の女性活躍です。その問題を解消するには、ただ人数比を考えるとかじゃなくて、抜本的に文化を変えることが必要なんじゃないかと思っているところです。

そのうえで、ネットの誹謗中傷にそれがどこまで関わっているのか。想像の域を出ないのですが、確かに、炎上参加者についての私の分析の結果と同じことが、悪質クレーマーの分析からもわかっています。①男性である、②年収が高いあるいは高かった、③企業の重役だった——悪質クレーマーにはこういう属性の人が多いらしい。その人たちが自分の部下にするように、お店の人に対して説教を垂れるケースがクレームの典型です。そういう意味では、誹謗中傷と同じ構図になっている。

もう一つ、「不安」というキーワードも大変興味深いです。実は、あるお笑い芸人の方が凶悪事件の犯人だという誤情報が拡散され、長い間誹謗中傷された事件がありました。その事件では、誹謗中傷を書き込んでいた人の内19人が書類送検されたのですが、彼らは正義感からその人に対して誹謗中傷をしていたと答えました。つまり、こんな凶悪事件の犯人は許せないから、誹謗中傷していたと。しかし捜査が進んでいくと、「離婚して辛かった」とか「妊娠して不安だった」といったように言い始めた。生活への不安が根底にあったんです。

ただ、忘れてはいけないのが、そういうように他者を攻撃している人が、社会全体からみればごく一部に過ぎないという事実です。それでも、ネットでそういう発言をしたときに一部の人がそれに惹きつけられるというのは確かにその通りで、それはファシズムなどにも通じる話なのかなと思います。つまり、強い言葉で罵倒している人や、上から目線で誰かを攻撃している人につき従いたくなる人というのが世の中には一定数いて、「おっさん」がその人たちからの支持を集めやすいという側面はあるように思います。

小島　ネットの意見は決して世論ではない。これは交通標識並みに大書して、辻々に掲示しておきたいですね。なんならニュースサイトやSNSを見ると最初にその文言が画面いっぱいに出てくる仕様にしてほしいぐらいです。私も息子たちに繰り返し言うようにします。

山口　そうですね。私の分析では、炎上参加者のパーソナリティの特徴もわかっています。協調性が低い、社会に対して不満がある、とりわけ他人に対して不満が強い、といった特徴です。何かあったときに真っ先に他人のせいにするような人たちが、炎上に積極的に書き込んでいることがわかっています。その人たちは発信する回数が多いので、ネット上で目立つ。ネットがすごく怖く感じたり、掃き溜めのように見えたりするのは、そういう人が多く発信しているからです。でもそれはあくまでもごく一部の姿だし、それによって社会が分断されていると判断するのは安易です。

ネットは分断されているかもしれないけれども、社会そのものがネットと同じ状態になっているかはまだわからない。少なくとももっと調査しないとわからない。社会がどうなっているのか、ネットだけを見て考えるのはやめるべきです。それは何よりもメディアに言いたいことです。

一人ひとりができること

小島　では個人がネットで意見を言うとき、あるいは「いいね！」などの何らかの意思表示をするときに、どうしたら建設的なアクションになるのか、陰謀論の拡散にならず、議論を深めることができるのでしょうか。知識なくそれを判断できる人は少ないと思うのですが。

山口　むずかしいですよね。まずフェイクニュースについていえば、例えば何か情報があったときにその情報源にあたるべき、ということが常々言われているわけですが、すべての情報に対してできる人は、たぶんほとんどいないんですよね。ただ、発信したり拡散したりするときには、情報検証をすべきだし、おそらくそれくらいは実践できると思います。

人類総メディア時代の特徴として、発信があまりにも簡単すぎるということがあります。たんに発信できるということだけではなく、それがあまりに簡単であるということ。そういう意味でいうと、現代人には立ち止まって考える時間というものが本当にない。情報が溢れていてそれを摂取するだけで精一杯、自分なりに解釈するような時間はない。それを発信するときも、たくさん投稿しているからやはり考える時間がない。そうすると、反射的にどんどん発信して、それが人を傷つける可能性にも考えが至らなくなってしまいます。

フェイクニュースには怒りを煽る内容や、センセーショナルで目新しい情報が多い。だから、そういうものに出会ったときこそ気をつけなければいけません。これは情報との接し方の基本ですが、世の中にはいろんな意見があるわけですよね。そうである以上、そういう意見もあるか、そういう見方もあるか、と思える距離感が必要です。つまり、ネットで遭遇する他人を、自分の尺度で測らないということですね。

小島　標語にするなら「慌てず、調べて、深呼吸。引きの目線を忘れずに」ですかね……。昔は手紙を書いて、何度も書き直し、朝読んでやっぱり捨てる、なんてことがありましたよね。書き上げて読み直し、それを封筒に入れてポストまで行って投函する。今考えると、すごいエネルギーの持続が必要ですよね。その過程を今は2秒ぐらいでできてしまう。いかに迂闊に行動しやすいかということですね。

それにしても、ごく一部の、執拗に罵詈雑言や誹謗中傷を繰り返す人は、なぜやらずにいられないのでしょう。陰謀論や誹謗中傷などのネガティブなものや極端なものに飛びついて、それを広めたいと思ってしまう心理の裏に何があるんでしょうか。

山口　私は心理学者ではないので、これはあくまでも自分の経験や分析結果から考えていることですが、一言でいうと、満たされてない人間なのだと思います。攻撃的になるのも不満があるからだし、自分に自信があって、自分という軸がしっかりあったら、他人に対して過剰に攻撃したりはしないわけですよね。そういう意味で、満たされていないということが根本にあると思います。

会社では部長などの肩書きがあったとしても、家に帰れば家庭内に不和があるかもしれない。あるいは中間管理職の仕事はなかなか大変で不満を抱え込んでいるかもしれない。そういうことがあると、人って全然幸福じゃないわけです。

ハーバード大学のある研究で、幸福感に最も重要なのは「愛」だということがわかっています。要するに人間関係です。それも、いろいろな人と知り合いであるってことじゃなくて、たった一人でもいいから、深い付き合いができる、心から信頼できる、そういう相手がいることがとても重要らしいんですね。

自分はこんなにすごいのに、こんなに頑張っているのに、でも満たされない。そういう根本的な不満足を抱えていると、攻撃的になるということがあるのかなと思います。例えば家まで行って誰かを脅すとか、そういうことまでする人のなかには、完全に振り切れていて、無職であるとか、失うものがないというケースも結構あると思いますが。でも、そういう人も満たされていないからこそ、他人への過剰な攻撃にエネルギーを注いでしまうのではないかと。

小島　それは非常に興味深いですね。リアルな人間関係のなかで不毛さを抱えているからこそ、ネットなら友だちができるかもしれないと思って、入れ込んでしまう人もたくさんいると思うんですが、そこで幸福度に寄与するような「愛」を見つけるのは、なかなかむずかしいんでしょうかね。で、むしろネガティブな発散に向かってしまうこともあると……。

山口　ネットを介して出会うことができれば、必ずしも悪いことではないと私は思うんですが、大抵そこに至るまでに、むしろネットでの人間関係も拗らせてしまったり、さらに不満を抱えてしまったりということが起こる。不満を抱えている人が攻撃的になりやすいのだとすれば、ネット上で友人関係を広げようと思っても、やはりそこでも攻撃的になってしまいます。

小島　本来、目を向けるべきはリアルな世界での孤独という問題そのものですから、そこを放置したまま避難先としてネットを選んでも根本的な渇きは癒されませんよね。

今は複数のアカウントを持つことが、特に若い人にとっては当たり前です。ネットでなくても、作家の平野啓一郎さんの提唱する分人主義のように、人は誰しもいくつもの自分を生き分けているもの。もちろん私もそうです。私は仕事柄実名発信ですし、匿名アカウントの必要性を感じていないので持っていませんが、著名人が匿名でアカウントを作っているのは珍しい話ではありません。名前が邪魔になって、趣味などで人とつながるのがむずかしくなってしまうというのはよくわかります。

著名人でなくても、ネットでいくつかの「分人」がそれぞれアカウントを持って、それぞれの居場所を得るという使い方をしている人はたくさんいますよね。ただ、匿名アカウントをやっていない私から見ると、ネット上の匿名の分人によってリアルな自己を満たすことには限界があるように思えてしまうんですが、どうでしょうか。

山口　分人として自分のある部分を切り出してコミュニティを作っていくのは楽しいと思いますが、それによってすごく幸福になるということもないかもしれません。とはいえ、リアルでどうしても何もうまくいかないとき、ネットで話せる相手がいることが、もしかしたらセーフティネットになるかもしれない。

ただ、どうしても弊害も大きい。陰謀論に騙される人の特徴として、3つの欲求があると言われています。そのなかの一つに「優越感の欲求」というのがあります。それが一番大きいのではないかと思っているのですが、他の人が知らないことを自分は知っていると感じたい、それをアピールしたい、という欲求です。でもこれって陰謀論に限らず、たぶんネットのあらゆることがそうで、「いいね」がほしいという気持ちも、全部そこに根があると思います。結局人間というのは欲望で動いていて、ある意味でネットはそれを増幅させてしまっているところもある。おそらく、そういう特性を知ったうえで使うのが正しい使い方です。

ネットと距離をとる

小島　やはり、相当突き放してネットの世界を見る視点が必要ですよね。今はそれこそ小学生からネットを使い始めるわけですから、その年齢で「ネットは引き目で」ってわかっておかなくちゃいけない。若者のメンタルヘルスへの影響も懸念されています。当然ながら、ネットを見ていてもお腹が空くので明らかなように、実人生はアプリの外の身体の中にあるのですが、ずっと接しているとそうは考えられなくなる。私が子どもの頃はネットはなかったですが、生きづらかった10代の自分を振り返ると、その感覚はわからないでもないです。

子どもたちも含めて、メディアの専門家ではない大多数の人たちが、ネットと適切な距離を保つためにはどんなことが必要だと思われますか。

山口　大変むずかしい質問ですね。これを言うと全然面白くないんですけど、最近出た論文で、SNSを使うのを1週間やめたら幸福感が上がった、という分析結果が出ているんですね。私自身は、SNSが人々を不幸にしているとは思っていませんが、あまりにのめり込んでしまうと不幸になると思います。

よく言われることですが、自分と他人の投稿を比較して、みんなはこんなに輝いてるのに自分はダメだと思ってしまったり。でも、みんないいところしか投稿しないんだから当たり前ですよね。それをよく意識したうえで接するだけでも全然違うはずだと思います。

しかもネットの情報から1週間離れたところで、実はあまり困らない。それを1回やってみると、距離を置いて見るクセがつくかもしれません。「俺は最近1週間やめてみたんだ」みたいな人も海外には結構います。彼らは再開した後も費やす時間は減ったと言うんですね。強制的にやめてみるというのは、ありきたりですが一つのやり方かなと思いますね。

小島　私も仕事柄SNSを使いますが、Facebookに関しては他人の投稿はほぼ読まないですね。特にたくさん書く人の投稿は全部ミュートにしています（笑）。ビジネスの話を書こうが食事の話を書こうが、その人の自意識のありようが剝き出しになるメディアなので、それを見るのがつらい（笑）。Instagramはもっぱらファッションや美術や旅、ニュースの画像を眺めるためのものとして使っています。Twitterは、見るためというより、自分の仕事の告知や支援しているNPOのクラファンなどの呼びかけ用。

情報を集めるため、ビジネスのため、友だちとの付き合いのため……SNSって最初は何かのために始めるものだと思うんですよ。だけどそれに接してばかりいて、そのなかでアクションをするのが当たり前になると、だんだんそちらがメインの世界のように思えてくる。ネットに本当の世界があって、その周りにドーナツ状の背景としてこのリアルな世界がある、そんな見え方になるんじゃないかな。私自身もSNSを使い始めたばかりの10年以上前や、人との接点が激減したコロナ禍の初期段階にそういう見え方になりかけたことがあって、これやばいと思って距離を置くようにしたんです。

本当の世界のように思えるネットの世界と、実際に手に触れて、目に見えている世界とを、両方行ったり来たりできる環境にある人はいいと思います。でも、さまざまな理由でネット以外のリアルな世界を実感しにくい状況にある人は、やっぱり世界そのものがネットの中にあるというふうに感じてしまうのかなと思うことがあります。

例えば、機能不全家族の子どもたちがそうなのかもしれない。私自身はかつて本やラジオに逃げ込んでいました。ラジオのなかには私を笑わせてくれる大人がいるし、本のなかには私を楽しませてくれる人がいる。家庭とか学校とか、私を取り囲んでいるリアルな世界は相当キツいものだったけど、「ここには世界がある」って思って、本やラジオのおかげで生き延びることができたんです。

だから、ネットの世界があたかも本当の社会のように見えてしまって、そっちが本物で、それ以外のものは自分にとっては価値がない、あるいは呪わしいものに見えてしまう人にとっては、ネットは救いになっているのも確かだと思う。ただそれも、非常にしんどいことです。リアルな身体性を伴ったサード・プレイスを持つことが必要なのかなと思います。もちろん、SNSがあるからこそ、生活圏外にあるリアルなサード・プレイスにつながるきっかけを得られるわけですが。両方を上手に行き来しながら、SNSに依存しない居場所づくりができたらいいですよね。

山口　そうですね。私の問題意識は、そもそも両方行き来できるにもかかわらず、ネットの世界にどっぷりと浸かり続ける人に向けて、どのように啓発していくか、ということです。その一方で、ネットが逃げ場所になっている人、つまりそういう行き来ができない状況に陥っている人にとっては、ネットの世界の偏りに気付いてもらいたい。ですが、相対化するのは非常にむずかしいと思います。

私にも解決策はありませんが、究極的には、ネット炎上やフェイクニュースも、社会的に幸福感がもっと高まればなくなるはずだと思います。実は以前研究して分かったのですが、炎上に積極的に参加している人って、精神的に非常にネガティブな状態になっていることが多いんですね。やはり何かを抱えている。そこに解決すべき問題の根本があります。結局のところインターネットは、人々の病理的な部分を拡大してしまうものであって、社会のなかで問題を抱えている人が多ければ多いほど、ネットも荒れるわけですね。社会全体としてセーフティネットを築いていかないと、ネットにのめり込み、ネットだけが世界になってしまうことの解決、あるいは改善は不可能だと思います。

ネットとミソジニー

小島　となると、日本の社会の幸福度を上げればネットの健全度も上がるという仮説も立てられるわけですが、そもそもなぜ日本の社会では苦しい思いをしている人が多いのかを考える必要がありますね。

先進国の中でも特異的なのは、日本のジェンダー格差の大きさです。地域社会も企業も政治の世界も、極めて同質性の高い男性社会で、年齢の高い男性たちに権限が集中しています。若い男性や、低学歴の男性、女性、病気や障害を持つ人などは、意思決定の場には極めて少数しか参加できません。

でも社会の数的マジョリティは非力な人たちです。つまり世の中を変えられるような強い力を持たない人たちですよね。その非力な人たちが非力なまま、幸せになれる社会が幸福度の高い社会ではないでしょうか。非力な自分を責め、自分よりも弱い人を排除するような社会って、幸福度はものすごく低いじゃないですか。

仮にその社会で出世したからって、不安がなくなるわけじゃない。安らいでいられる場所がないわけですから。

00年代以降に新自由主義が隅々まで浸透し、同時に旧来の価値観である男尊女卑と年功序列ががっちり温存されているという、新旧ハイブリッドの人を不幸にする構造に問題があるんじゃないかと思います。

山口　そうですね。確かに男女差別や年功序列は社会全体の幸福感に影響を与えているでしょう。それが少なからず人々の行動を固定化してしまい、不寛容な社会を生み出しているように思います。非力な人たちのなかによく見られるのは、「自分が大変なんだからお前も大変であるべきだ」という発想です。ほとんどの人間が他人の幸せを正面から肯定できない。苦しいほうへ苦しいほうへと自分も他人も抑え込んでいってしまう人は結構いると思います。それが同調圧力を生み、不寛容な社会を作り出している。ここのところを抜本的に改革することが必要だと思います。

小島　キム・キョンチョルさんの『韓国　行き過ぎた資本主義――「無限競争社会」の苦悩』という本があるんですが、この本を読むと、韓国と日本で共通する問題があるように思えます。新自由主義と男尊女卑がいわば掛け算になっていて、ネット社会はそれと深く結びついている。それが、自殺をはじめとする深刻な問題にもつながっているわけですね。ネット上での女性蔑視、女性発言者への嫌がらせも顕著です。一方、ここ数年で明らかに日本社会は変化しています。例えば2021年2月に森喜朗さんが女性差別発言で東京五輪組織委員会会長を辞任した件。「女性がたくさん入っている会議は時間かかる」などの発言が国内外から強い批判を受けて辞任しました。5年前だったら「いつもの森さん節だね」とメディアもスルーして、辞任にまで至らなかったでしょう。リアルな世界が「性差別をやめよう」という方向で変わってきているのに、そのぶんネットのなかではいっそう性差別が悪質化しているように思えるんです。それはごく一部分の人間が繰り返しやっているのかもしれませんが。

山口　今の問題について、研究結果としてわかってきていることがあります。世界的に見ても、誹謗中傷などの攻撃の対象には女性が多いんです。私がおこなっている研究の一つに、ジャーナリストの誹謗中傷というのがあるんですが、女性ジャーナリストへの誹謗中傷は非常に大きな問題です。女性に対してはマウントを取って偉そうに言ってくる人、女性というだけで下に見る人というのが一定数いて、それがネットにも反映されている。逆に言えば、そういうふうに考えている人たちが社会にはそれなりにいるってことでもあるんですが。

差別意識のない人であれば、誰かの発信に対して多少批判的な意見を持っていたとしても、その相手を攻撃することはない。多くの場合サイレント・マジョリティになるだけです。でも、同じ発信に対しても「女のくせに」という差別感情を抱く人はそれを書き込むので、そういう性差別的な攻撃がネットでは目立つわけです。

私の肌感覚でいうと、年代によって女性に対する考え方は全然違っていて、若い世代はかなり変わってきていると思います。もちろん勤めている会社による違いなどもあるでしょうが。

私はいま35歳ですが、大学生など自分よりも下の年代の人と話していると、女性差別的な考えはほとんどないですね。それに対して、年配の男性では女性相手には名刺交換をしないなど、差別を見かけます。残念ながらその人たちはまったく無自覚に差別をしているので、解決はむずかしいと感じます。

小島　以前出した対談集『さよなら！ハラスメント』のなかで、政治学者の佐藤信さん（都立大学准教授）とそんな話になりました。変わろうとしない人たちや組織を変えるための教育コストをかけるのか、淘汰されるのを待つのか、そこはドライに判断する必要があるのではないかと。個人的にも、性差別的な人や多様性に不寛容な人に出会った際に「教育か、淘汰か」で篩《ふるい》にかけることは、正直言ってままあります。その人物の社会影響力が非常に大きい場合などは、手間をかけてでも「それは違いますよ」と言わなくてはならないし、ただ淘汰を待つのではなく、はっきりと異議申し立てをして退場を促すことが必要ですが、そうではない場合、おそらくこのまま孤立して滅んでいくのだろうなと、胸の中でそっと合掌して距離を置くことも。どのみち生き残れませんからね、そういう感覚の人は。

山口　自然に淘汰されますから。それで社会はだいぶ変わっていくんじゃないか、という期待感はあります。そういう意味で言うと、今の若い人たちがジェンダーについてフラットに考えられるようになっているのには、もしかしたらネットが寄与している可能性もある。ネットは

極端な意見も広まりやすいし、偏った意見にも触れやすいんですが、同時にいろんな意見に触れられるのも事実なんですよね。私はよく大学生にTwitterなど利用してどう思ったか訊くんですけど、よくあるのは、世の中にはこんなにいろんな意見があるってことを使ってみて初めて知った、という意見なんです。まっさらな状態で接しているので、誹謗中傷がこんなに多いとは知らなかった、という意見も出てきます。このように、いろいろな意見に触れることによって、良い方向に変わっていくケースもあると思いますね。

小島　ここまでのお話で上がってきたポイントとしては、①ネットの言説は世論ではないと肝に銘じること　②ネットに没入せず、引いた姿勢で接すること　③発信する際は、名誉毀損で訴えられたり、陰謀論やデマの拡散に加担して

しまうリスクを自覚すること　④自分にも社会にポジティブな影響を与える力があると自覚して、建設的な意見表明を心がけること　この4点でしょうか。

ネットでは誹謗中傷することもできる、黙っていることもできる、でもポジティブな一言を言うこともできる。どれを選ぶかによって、自分が暮らしている世の中がどんなところになるのかが違ってくる。そういう感覚を持てるかどうかですね。自分はどんな世の中に暮らしたいのか。どんな世の中だったら幸せなのか。それを自身に問うて「こういう世の中だったら自分は幸せだな、だったら今私はこれを発信しよう、これを発信するのはやめよう」そういう判断ができるといいのかなと思いました。

山口　まさにそうですね。今の世の中って、何者にもなれない人っていないんですよね。誰もが発信できるので、社会に対して誰もが影響を与えることができる。それをネガティブに使うのもポジティブに使うのも自分次第です。ネットはそういう場所であると、教育をすべきだと思います。

SNSというのは、情報社会の黎明期に誕生したすごく単純なサービスです。つまり、テキストと動画と画像だけのコミュニケーション・ツールです。これに空間という概念を付け加えたのが、今話題のメタバースですね。さらに、自分の考えていることをデジタル空間上に投影できる、自分の考えていることを直接伝達できる、といった、新しい技術の開発も進んでいます。もしかしたら50年後にはそれが一般に普及しているかもしれない。そうなったときに、人々のつながりはもっと濃く、広くなっていくはずです。

しかし、現在利用されているきわめて単純なツールで、私たちはこんなにも大騒ぎをし、亡くなる人まで出ている。別の言い方をすれば、人類はこの瞬間に進化しなくてはいけないと私は思っているんです。未来の本格的な情報社会を迎えるには、今のSNSの問題を乗り越えることが不可欠です。そのための一歩を、一人ひとりが踏み出さなくてはなりません。なにより、あらゆるステークホルダー、政府、自治体、プラットフォームの業界団体、さらにはメディアや教育分野に至るまで、あらゆるところで情報との向き合い方を変えていくことが求められているのではないでしょうか。

小島　メディアが民主化されて、誰もが発信者になって、いま山口さんがおっしゃったような「進化」が求められているのだとすれば、それは「幸福とは何であるか」を人任せにしないで謙虚に考えるってことじゃないでしょうか。考えるのってすごくめんどくさいですからね。それを自前でやって、他者の話にも耳を傾けることによって、進化は成し遂げられるんじゃないかと思うんです。

そういう意識の高いこと、崇高なことは頭のいい人がやればいいでしょ、とされてきたことを、一人ひとりがやらないといけなくなってしまったと思うんですよね。「80億総哲学者時代」ですね。でないと「つながる技術」は人類をどんどん退行させ、野蛮化させるだけになってしまう。

実際、いま何でこんなにマインドフルネス流行りかって、身体性を取り戻して内観するっていうことですものね。頭の中の仮想世界から、目の前のリアルな世界にどうやって意識を引っ張り出すかっていう訓練ですよ。一度頭の外に出て、もう一度中に潜る。でもそれは妄想の世界に戻るのではなくて、自分の身体を通じて、他者に開かれた、普遍的な生を内観する試みなんですよね。ネットではないところでの、「自己との、及び他者とのつながり直し」をするっていう言い方もできる。

これは2500年前にお釈迦様がやってますから、別にぶっ飛んで新しいことではない。それこそスマホの瞑想アプリで私も寝る前にやってるぐらいですから、ありふれたことではあるんですけど、身体性の回復と哲学的な思考って今後ますます必要になっていくだろうなと。

メタバースが一般化する時代だからこそですよ。

山口　私も完全に同意するところですが、ただ考えられる反論としては、全員が自分のことを見つめないとダメなんじゃないかっていう話は、究極的に言うと、全員賢くあれっていう話と近いんじゃないかなと言われそうです。私がメディア情報リテラシーの話をしていると、結構そういうことを言われるんですよ。「全員にそれを求めることは不可能でしょ」って。正直無理なのかもなって思うこともあるんですよね。みんながみんな能力を高めなきゃいけない。でも高められる人も高められない人も、得意な人もいれば不得意な人もいるし、自分を見つめられる人もいれば見つめられない人もいる。

小島　そうですね。でもね、私ときどき思うんですよ。ローマ時代には獣に奴隷を襲わせる見せ物が娯楽として行われていて、それを見た人たちは、今日は面白かったねってご飯食べて寝たんですよね。日本の江戸時代には、人を晒し首にして、それがどんどん腐敗していくのを街ゆく人が見てた。もし当時の人々に「奴隷の見せ物や、晒し首のような残酷なことはやめろ」と言っても、「なんで?」って言うでしょうね。そんな人たちに「意識を変えろ」って言っても無理です。

でも、さすがに今それやらないじゃないですか。ネットで「昔みたいに奴隷の見せ物をやれ、晒し首をやれ。みんなに賢くなれなんて言うな!」とも言わないですよね。人間は、かつては当たり前だったことを、やめたんですよ。したいとも思わなくなった。

全員が賢くなるのは無理だって言いたい気持ちもわかるけど、その全員が瞬時に素晴らしく賢くなることはできなくても、今のあたり前が全然あたり前じゃなくなる程度の、幅を持った「全員が賢くなる世界」っていうのは、実現できる気がしてるんです。

山口　大変説得力がありますね、完全に同意しました(笑)。

04 なぜジェンダーでは間違いが起きやすいのか

治部れんげ・山本恵子・白河桃子

治部れんげ　じぶ・れんげ

東京工業大学リベラルアーツ研究教育院准教授。一橋大学法学部卒、同大学経営学修士課程修了。日経BP社にて経済記者を16年間務める。ミシガン大学フルブライト客員研究員などを経て現職。男女共同参画計画実行・監視専門調査会委員、日本ユネスコ国内委員会委員、日本メディア学会ジェンダー研究部会長など。著書に『稼ぐ妻・育てる夫』(勁草書房)、『炎上しない企業情報発信』(日本経済新聞出版社)、『「男女格差後進国」の衝撃』(小学館新書)、『ジェンダーで見るヒットドラマ』(光文社新書)、『きめつけないで！　「女らしさ」「男らしさ」』(汐文社)などがある。

山本恵子　やまもと・けいこ

NHK名古屋放送局コンテンツセンター副部長、NHK解説委員(ジェンダー・男女共同参画担当)。名古屋大学大学院国際開発研究科修士課程修了後、記者としてNHK入局。金沢放送局、社会部、NHKの国際放送「NHKワールドJAPAN」を経て、現職。2001年女性ジャーナリストの勉強会を設立し、1000人のメンバーとともに、教育、働き方改革、ジェンダー問題など、世の中のよい変化につながる発信を続ける。2009年アジアソサエティより、アジアの若手リーダー「Asia21フェロー」に選ばれる。中学3年の娘の母。

白河桃子　しらかわ・とうこ

相模女子大学大学院特任教授、昭和女子大学客員教授、ジャーナリスト、作家。慶應義塾大学文学部社会学専攻卒。中央大学ビジネススクール戦略経営研究科専門職学位課程修了。住友商事、外資系金融などを経て著述業に。少子化、ダイバーシティ、働き方改革、ジェンダー、ライフキャリアなどをテーマに著作、講演活動を行う一方、「働き方改革実現会議」「男女共同参画会議 重点方針専門調査会」など多数の政府の委員を歴任。著書に『ハラスメントの境界線』(中公新書ラクレ)、『働かないおじさんが御社をダメにする』(PHP新書)など。

無意識バイアスの背景に昭和幻想

治部れんげ

ジェンダー表現と発信に関心を持つ企業が増えている。

2018年に、ジェンダー表現に関する書籍『炎上しない企業情報発信――ジェンダーはビジネスの新教養である』を出版して以降、関連の講演依頼は年々増えている。2021年秋からの1年を振り返ると、大小の広告代理店やPR大手、複数のテレビ局向けに研修を行った。メディア企業に留まらず、テレビCMに多くの予算を割いている消費財企業、社会の変化に敏感な流通系企業、SNS運用で悩みを抱える政府系機関などから「ジェンダーと広報マーケティング」をテーマにした研修依頼があった。

2021年にジェンダー視点でドラマを読み解く本『ジェンダーで見るヒットドラマ――韓国、アメリカ、欧州、日本』を出した後はテレビ局で番組制作に携わる人たちとの接点が増えた。番組に出演して解説したり、社内研修をしたり、個別相談に乗ることもある。広告のジェンダー炎上について解説したのを機にNHKラジオで2か月に1回、ジェンダー関連の時事的な話題について解説するようになった。

一番大きな変化は相談者の性別で、数年前は寄せられる相談の大半が女性からだったが、最近は男性からの問い合わせの方が多いくらいだ。様々なやり取りを総合すると、企業で映像コンテンツを作ったりＳＮＳを運用したりする人々はジェンダー表現を以前にも増して気にかけている。

背景には、ジェンダーを巡る「間違い」がＳＮＳ、特にTwitterで次々に可視化されていることがある。２０２１年秋から２０２２年夏にかけてTwitterで批判を集め、新聞やテレビなど従来メディアも報道し広く注目を集めた事例を2件取り上げて検討してみよう。

働く女性を応援するはずが 逆のメッセージになった広島県

ジェンダーを巡る「間違い」の中でも広く関心を集めたのが、広島県が製作した「働く女性応援　よくばり　ハンドブック」である。広島県では２０２０年2月に改訂したこの冊子をウェブサイト上で公開している。[*1] その意図は仕事と家庭を両立したい女性を支援すること。広島県は「多くの県民にとって、仕事と暮らしはいずれも人生の重要な要素であり，どちらもあきらめず追及することができる社会の実現が求められている。」としている。

ハンドブックは「育児・介護休業法、男女雇用機会均等法、パートタイム労働法等の女性労働者に関係する法律や各種支援制度の概要など、女性が働く上で活用できる情報」をまとめている。イラストや図解を交えて分かりやすいアドバイスを記したものだ。

Twitterで「よくばりハンドブック」が批判され、注目を集めたのは、2021年11月下旬だった。冊子の26ページには「ワーキングママの心構え　同僚・周囲への感謝と配慮を忘れずに！」と題して、同僚、上司、父親、祖父母が働く母親の言動を批判する声がイラストと共に掲載されている。例えば、男性のイラストにパパと書かれ、横に吹き出しで「『私ばっかり家事と育児をしている』というけど、こっちだって仕事で疲れてるんだよね。夜泣きがうるさくても我慢してるし、多少は手伝っているんだから、勘弁してほしいな……」と書かれていた。

これに対し、9歳と6歳の子育て中というTwitterアカウント[*2]は「家事仕事育児を全部母親に押し付けて『よくばり』呼ばわりした上に、『夜泣きを我慢してやってる』『少しは手伝ってやってる』という父親の自覚ゼロの夫に感謝しろとは。広島の女性は何をさせられようとしているんですか？」と批判し1200余りの「いいね」を集めた。

筆者はこの事例について、日本テレビ、中國新聞などの取材を受けた。取材前に冊子の全体に目を通したところ、制作趣旨や制度解説などは良いが「よくばり」という名称と26ページが全体趣旨を損なっていると考えた。冊子につけられた「よくばりハンドブック」という名称からは「広島県は、仕事と家庭を両立することを〝よくばり〟と見なしている」ように受け止められる。

また、Twitterで批判が多かった26ページだけを読むと、あたかも広島県がマタニティハラスメントを肯定しているようにさえ見えてしまう。これは法律に基づき両立支援をすべき行政の役割に照らしてありえない。もし、私が責任者なら「よくばり」という文言は全てカットする。さらに26ページも丸ごとカットする。その上で冊子そのものは使い続けたらいいと思う。

製作者の「無意識バイアス」が表現に出てくる

では、なぜ、このような表現が出てきてしまうのか。問題は製作者の「無意識バイアス」にあると言えそうだ。冊子の制作者は両立支援を建前では推進しつつ、本音では、女性は出産したら育児に専念するか、仕事だけに集中すべきと思っていないか。

個人がいかなる考えを持つのも自由である。ただし、行政を主語に発信する際は、担当者の価値観と行政として適切な表現を峻別する必要がある。ジェンダー炎上の事例は、あからさまな差別や偏見というより、担当者が深く内面化して本人も気づいていない「無意識バイアス」が漏れ出てしまった結果と言える。

なお、広島県は2022年7月20日付で、このハンドブックの改訂版を発行している。[*3] 改訂版の表紙からは「よくばり」の文言は消えており、批判が集まったページ内容もない。一方で、冊子の冒頭には「広島県が目指す『欲張りなライフスタイル』」という表現が残っている。これは、2022年に策定された県のビジョンに使われている言葉であるようで、単に広報や表現の問題ではなさそうだ。

構造が似ている事例がある。2017年に消費財大手ユニ・チャームが配信したオムツ「ムーニー」のプロモーション動画だ。動画では赤ちゃんの育児に孤軍奮闘する母親が描かれる。赤ちゃんは可愛いが、一人きりで家事育児をこなすのは大変だ。夫は仕事が忙しいのか一瞬しか登場せず、家事育児を分担する様子はない。完全に妻のワンオペ育児である。ユニ・チャームは頑張るお母さんを応援する、という意図で作った動画だったが、多くの視聴者には母親が耐えることを推奨しているように見えてしまい批判を集めた。

今や母親が働くこと自体は否定できない時代だ。女性は出産したら家庭に入れとか、子どもは母親だけが育てるべき、といった発言は公の場では許容されない。性別役割分担規範は建前レベルでは変化した。しかし本音は変わっていない人が多い。社会が大きく変化している中、自分の建前と本音の乖離に気づかないまま、自己と他者の希望を混同してしまう時、ジェンダー表現で「間違い」が起きやすくなる。

ところで、多くのジェンダー炎上事例に共通するのは、発信者に悪意がないことだ。女性を差別してやろうとか、性別に基づく決めつけをしよう、という意図は皆無でも、受け手から批判されることがある。時に問題は「表現」のみならず「企画そのもの」に起因することがある。

２０２２年7月に国土交通省がTwitterに投稿した公務員向けオンラインセミナーのPR画像の事例が、それに当てはまる。同省は「都市を創生する公務員アーバニストスクール」と題し「人中心」のまちづくりを学ぶ趣旨で9月から翌年2月頃まで連続セミナーを企画した。

批判を集めたのは、セミナーに登壇する25人の講師が全員、男性だったことである。正確に言えば、見た人から男性だとみなされる氏名と写真が講師として25名分、掲載された。SNS上で批判が噴出した直後、複数のメディアがこの件を報道し、筆者は東京新聞の取材に応じた。[*4] 記事によれば、国交省は「女性も検討したが、日程の都合などでこのような形になった」とTwitterで釈明し、さらなる批判につながったそうだ。

問題は「企画」に遡ることもある

取材依頼を受けた際、筆者が行ったのは、問題とされたTwitter投稿と、国交省が組織としてジェンダー問題にいかに取り組んでいるかを確認することだ。同省のウェブサイト、トップページ（https://www.mlit.go.jp/）右上にキーワード「男女共同参画」を入力し検索すると、約1万300件がヒットする。[*5] 検索結果からは、地域、海運業界、観光業界など同省が管轄する分野における「男女共同参画」の現状、取り組みなどを読むことができる。つまり、国土交通省が組織ぐるみで女性登用をしていないわけではない。

では、なぜ、このような事態になったのか。東京新聞の記事によれば、スケジュールの都合で女性講師が入らなかったようだ。ただ、全部で2、3人ならともかく、25人全員が男性講師というのはあまりにバランスを欠く。

ここで登壇者のバランスについて、筆者が最近、学んだことを記しておきたい。筆者は、2022年3月から、EU・日本のジェンダー専門家が2名ずつ計4名集まり、コロナ後の政策において女性のエンパワーメント視点を主流化することを目指すプロジェクトに取り組んでいる。[*6]このプロジェクトでオンラインセミナーを企画しており、コンセプトノートや登壇者候補について検討していた時のこと、ベルギー出身の専門家から次のような意見を聞いた。

「ＥＵのイベントには、政府、民間、市民社会から必ず一人ずつ入る。また、都市だけでなく地方の視点や、女性だけでなく男性も入れるべき」

多様な経験を持つ人が集まって議論することに意味があり、特定の人だけで議論するのは公平を欠くという発想がそこにはある。同じ性別の人だけで講義やパネルを構成するのがダメなのはもちろん、性別のバランスだけを考慮しても、欧州基準では通用しないのだと思った。

これまで筆者は発信者の属性や体験の多様性を確保すれば、ジェンダー・ステレオタイプな発信や炎上をある程度防げる、と考えてきた。ただし、最近、男性の作り手から相談を受けることが増えるにつれ、問題はもう少し複雑だと感じている。

ある消費財メーカーで社内研修をした時のこと。論評を求められたいくつかのテレビＣＭの中に、トイレ掃除用品を扱ったものがあった。複数のシーンを描きつつ、女性ばかりがトイレ掃除をする描写に違和感を覚えた。研修の際、そのように述べると参加していた、男性管理職から「うちではトイレ掃除は私の仕事です」という発言があった。もしこのような声がテレビCMの企画に生かされたら、男性が掃除をするシーンを入れることができたかもしれない。

また、あるテレビ局の番組で独身男性を揶揄し、馬鹿にするような表現が気になったことがある。番組全体は面白く、ジェンダー視点で新しい部分もあったから、もったいなく思った。この局でジェンダーをテーマに話をした際、番組に関する意見を述べたところ、該当の番組を制作した男性管理職から「実は自分自身が独身です」という返事がかえってきた。製作者と同じ属性、同世代で同じ性別を番組で扱うにあたり「独身でもいいじゃないか」と正面から主張するより「あえていじる」ことを選択したことが分かった。

自分と昭和の常識を切り分ける

生涯未婚率は年々上がっており、もはや独身は珍しくない。また、家の中の仕事を引き受けている男性も珍しくない。製作者が自身の価値観やライフスタイルを尊重しながら発信することも必要になってくるのではないか。

ジェンダー表現で「間違い」をおかさないためには、まず、男女ともに「自分にとってこの生き方が心地いい」「今の働き方のここを変えたい」という本音をよく見つめることが大事だろう。さらに、自分と異なる生き方を選んだ他人を見下さず、自分も他人も性別に基づく型にはめないことが必要だ。既に多様な生き方をしている人たちが発信に関わっているのに、各人の体験が生かされず、古臭い表現をしてしまうのは、もったいない。

日本政府は2022年5月末「女性活躍・男女共同参画の重点方針2022（女性版骨太の方針2022）」を公表した。[*7] その冒頭には、日本の男女格差が海外諸国と比べて大きいこと、その原因として制度・慣行・意識があることを示した上で「人生100年時代を迎え、女性の人生と家族の姿は多様化しており、もはや昭和の時代の想定が通用しないのが実態」と記している。

この夏に一緒に仕事をした大手メディアの男性プロデューサーとディレクターに、この資料を送ったところ「昭和」が終わった、これからは女性の経済的自立を目指していく、という政府方針に多くの人が関心を示した。男女共に発信に関わる仕事に就く人が、既に終わって30年以上経った昭和の幻想から自分自身を解放することが必要だ。

【注】

＊1 「働く女性応援よくばりハンドブックを配布しています！ー令和2年2月改訂」。

２０２２年９月10日アクセス、10月16日に確認したところ、このページはなくなっている。広島県（https://www.pref.hiroshima.lg.jp/site/womanjob/ouen-handbook.html）

＊２　マミミ @marintotorao、２０２１年11月29日の投稿。（２０２２年９月12日アクセス）

＊３　「改訂版「働く女性応援ハンドブック」のアンケートを実施しています」広島県（https://www.pref.hiroshima.lg.jp/soshiki/252/handbook-2022.html）

＊４　「「講師25人全員が男性」で批判噴出　国交省の講座「日程の都合」釈明でさらに炎上　女性講師追加へ」『東京新聞』（https://www.tokyo-np.co.jp/article/191014、２０２２年９月10日アクセス）

＊５　２０２２年９月12日午前５時30分に確認。

＊６　「ポスト・パンデミック時代の日本におけるジェンダー平等と女性のエンパワーメントの推進に関する日ＥＵ共同プロジェクト」日・ＥＵ戦略的パートナーシップ協定（https://ja.eujapanspa.jp/gender-project、２０２２年９月10日アクセス）

＊７　「女性活躍・男女共同参画の重点方針　２０２２」内閣府男女共同参画局（https://www.gender.go.jp/kaigi/danjo_kaigi/siryo/pdf/ka67-s-2.pdf、２０２２年９月10日アクセス）

女性が報道現場で意思決定権を持つ意味

山本恵子

私は現在、NHK名古屋放送局コンテンツセンターで副部長を務めている。日々の仕事としては報道部門のデスクとして、放送用のニュース原稿を直したり、担当記者やキャスター、リポーターの取材や出稿、企画（リポート）制作のアドバイスなどを行ったりしている。1995年、NHKに入局してから記者として、また、2019年に管理職となってから、報道の現場や番組制作の過程にどのようなジェンダーバイアスが入りこみやすいのか、現場で直面しながら、どうしたらいいのか考え発信を続けてきた。こうした背景もあり、2021年からは、NHKで男女共同参画・ジェンダー担当の解説委員も兼務している。

ジェンダーの間違いを止めるために、記者としてできること

社会部の記者だった2000年ごろ、少子化が問題としてクローズアップされるようになった。その原因として「働く女性が増えたから」という報道に接するたび、「違う、こんな働き方をしていたら出産どころか結婚もできない」と違和感を覚えた。当事者の一人として、女性の声を取材し発信する必要性を感じ、少子化や女性の働き方などについての取材をするようになった。

しかし、当時のデスクに「少子化の原因は男性中心の長時間労働を前提とした働き方にある。ワークライフ・バランスが大事だ」と、取材や企画の提案をしても「働きたくない人の話を取りあげてどうするのか」と却下され、なかなか提案が通らず「デスクの壁」を感じた。

同じ時期、事件の張り番で毎日警察署に詰めていたとき、他社の女性記者と話をする機会があり、少子化問題や保育園に預けたくても預けられない待機児童問題などについて「提案しても通らない」と聞き、同じように「デスクの壁」に直面していることを知った。また、記事、企画として採用されないと、取材相手に時間を取ってもらっても申し訳ない、と大切

なテーマなのに取材を躊躇してしまう、という声もあった。こうしたことがきっかけとなり、2001年、有志の女性記者やディレクターが集まり、少子化や働き方改革など関心あるテーマについて、取材したい人を講師に招き、「いい人、いい情報を共有し、いい発信につなげよう」と、会社の壁を越えて学ぶ女性ジャーナリストの自主的な勉強会を始めることにもなった。

圧倒的に男性が多い組織の中で、提案が通らない「デスクの壁」だけでなく、子育てしながら働き続けることなど様々な「壁」に直面しながらも、問題意識を共有できる女性たちとつながることで、ともに「おかしい」と思うことに声をあげ、ワークライフバランスなどの働き方改革、待機児童問題、そして#MeTooムーブメントなどジェンダーに関する発信を続けてきた。

管理職になると「ジェンダー表現」を変えられる

また、メディアに女性が数として増えるだけでなく、管理職となる必要性も味わってきた。2005年から始まった「日本の、これから」という視聴者参加型の討論番組で「少子高齢化」や「男女共同参画社会」などの放送に記者として携わった。当初、制作チームに女性が少なく、女性が結婚しない理由や出産を選ばない理由について、結婚か仕事かの選択ではないことや、一生結婚したくないという訳ではないなど、会議の場で何度説明してもわかってもらえなかったが、参加する女性が増えると「女性の意見」として受け入れられるようになった。

しかし、VTRの試写の段階で、男性デスクから「こんなはずはない」「わかりにくい」と言われ説明を尽くしたが、最後はデスクの意見を反映した「わかりやすい」ステレオタイプ的な描き方、コメントになったことがあった。抱いていた違和感について、放送後、視聴者からも「真実はこんなに単純ではないはず」というFAXが届いていた。

コメントや描き方について、現場の記者やディレクターがいくら違和感を伝えても、デスクに聞き入れられなければ、そのまま放送に出てしまうため、「デスク」という意思決定をする立場に、女性がいること、多様性があることが重要だと感じる。

また、性別を問わず、家事や子育て、介護などの経験をしている人がデスクになると、表現のステレオタイプ化を防ぐと実感したこともある。マンションから子どもが落下したという痛ましい事故があったとき、原稿を直していた子育て世代の男性デスクが「親が目を離したすきに」という表現について「親だって、ずっと子どもから目を離さないのは不可能だよね。責任を感じている親をさらに追い詰めるだけだ」と、これまで当たり前に使われてきた表現を削除していた。働き方改革が進み、多様な人がデスク、管理職になることは、多様な視聴者に寄り添う報道につながると思う。

女性活躍に関する議論の中で、なぜ、役員、管理職に女性が増えることが重要なのか、と聞かれることがある。それは、番組やニュースなどの放送コンテンツを決める、意思決定できる立場だからだ。

NHKでは放送の現場で管理職になると、デスクとして、記者やディレクターから「こんなテーマを取材したい」「リポートにしたい」との相談や提案を受け、採択するかどうか決めたり、ニュースとして放送される原稿や企画の表現を直す立場になる。

私自身も、3年前、管理職であるデスクになり、ジェンダー表現についても、一記者として、違和感や意見を言うだけの立場から、そもそも取材や企画として採択するか、さらに、放送する際にどんな表現とするのか、決定権を持つ立場になったことは、大きな変化だと感じている。

編責（編集責任者）となる意味

そして、さらに、「デスクの壁」を越えたあと、最後の関門となるのが、番組の意思決定者、NHKの場合は「編責」と呼ばれる番組の編集責任者だ。いくらデスクが通したニュースや企画でも、編責が採択しなければ、放送されない。

例えば1時間のニュース番組の編責は、多くのニュースの中で、どんなニュースをどの順番で、どれぐらいの時間を使って放送するかを決める。NHKの主なニュース番組である「おはよう日本」「ニュース7」「NW9」は曜日ごとに編責がいるが、女性が編責に加わったのはここ数年のことだ。女性の編責が増えたことで経済的に厳しく生理用品が買えない「生理の貧困」などの女性特有の問題やジェンダーに関するテーマが取りあげられるようになっていると感じる。

ちなみに、2020年にNHKで始まった「ジェンダーをこえて考えよう＃BeyondGender」というプロジェクトも、各セクションの意思決定の立場に女性が増えたことで実現した。

私も名古屋放送局の夕方のニュース番組「まるっと！」の編責を2か月に一度、1週間務めている。放送の前週に、提案された企画の中から放送するものを採択し、1週間の番組のラインナップを決める。そして、放送当日は、50分の放送時間の中で、何をトップニュースとするか、どんな順番で放送するのか、また、記者解説や中継や特集リポートを何分間、どのように放送するのか決めていく。

記者が「やりたい」と提案し、デスクがOKした企画でも、番組の編責が採択しなければ番組で放送できないので、私が編責を務める週には、子どもや子育て、赤ちゃん縁組（産んでも育てられない赤ちゃんを育ての親に託す特別養子縁組の制度）や里親制度（さまざまな事情で家族と離れて暮らす子どもを、家庭に迎え入れ養育する制度）、性暴力や、不登校、理不尽な校則問題など、自分が大切だと思うテーマについてのニュースや企画を積極的に採択し放送するようにしている。編責は1週間ごとに代わるので、番組を見ている視聴者の中には、週によって番組のカラーが違うことに気づいている方もいるかもしれない。

編責を務める上で意識していることの一つは、番組のトップニュースに何を持ってくるか、何を特集として放送するかは、見ている人に「このニュースは大切だ」というメッセージをも伝える「アジェンダ・セッティング（議題設定）」の役割があるということだ。これまでトップニュース、新聞でいうと一面は、政治、経済が多かったが、編責が多様になることで、これまで取りあげられなかったテーマがトップニュースとなることがある。生活に密着した問題も重要な問題、課題として可視化されることで、社会の課題として解決にもつながるのではないかと思う。

また、特集などのＶＴＲが完成すると、編責は放送前に試写を行い、コメントを求められる立場なので、内容に違和感があった場合などは指摘することができ、その意見は尊重される。こうした意思決定の権限がある場所に、女性が、また、多様な人材がいることが、放送内容の多様性につながると同時に、リスクの軽減につながると実感している。

名古屋放送局では、ジェンダー表現について、例えば、放送で使うイラスト一つとっても、医師は男性ばかりになっていないか、子育て中の親子は、母親と子どもだけになっていないか、また、インタビューを放送する際につけるテロップの色が男の子は水色、女の子はピンクになっていないか、などにも気をつけているほか、番組や企画のＶＴＲも、なるべく多様な目で試写を行い、表現やコメントが偏っていないか、チェックしている。私の解説コーナー「ＫＹジャーナル」も必ず男性の目でも確認してもらっている。

出演者のジェンダーバランスは？

管理職となって変わったことは、意思決定の場への参加が認められるようになったことだ。番組の提案会議や次年度の番組のコンセプトについての会議、また、出演者の選定にも関

年代別 女性・男性の出演者数

作成・NHK放送文化研究所

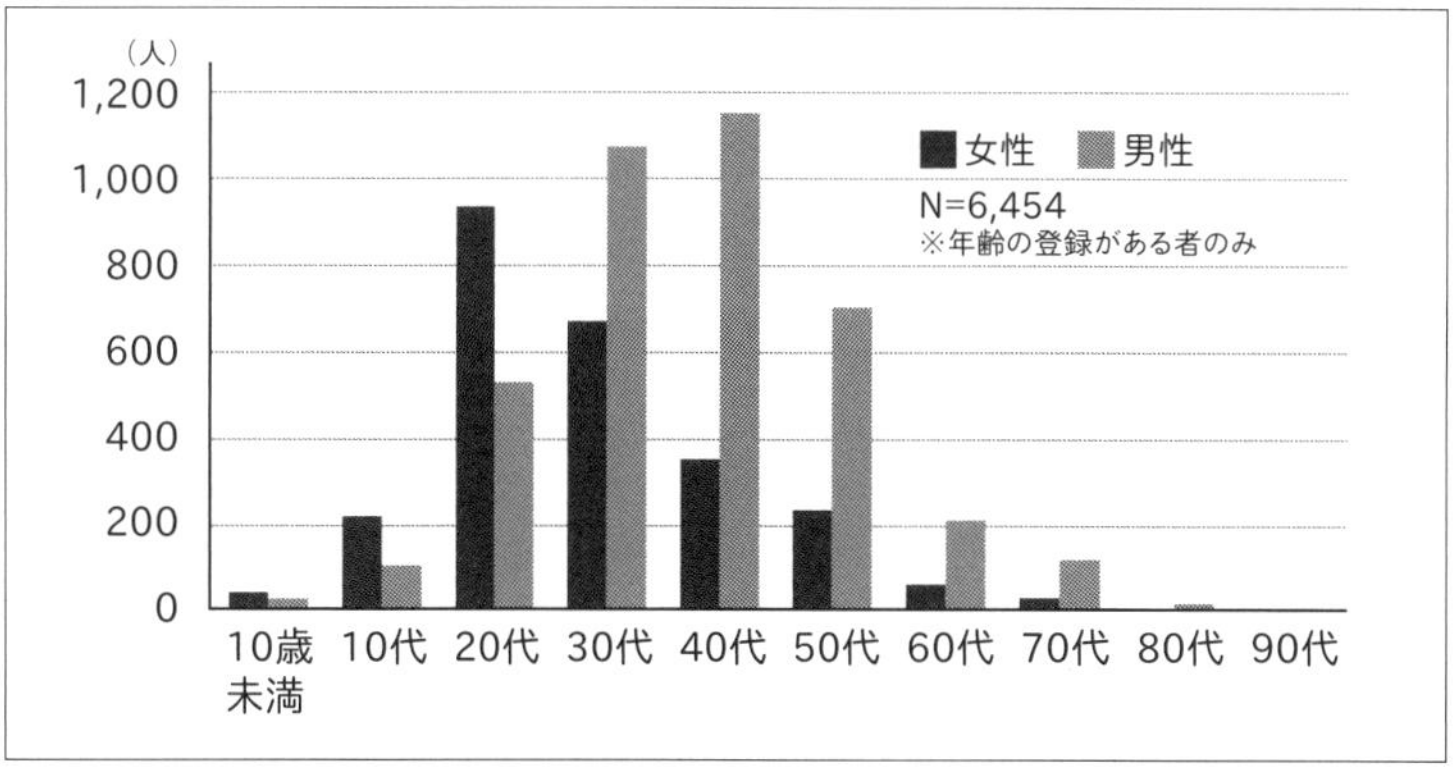

わることになり、これまで契約で採用されるリポーターは女性が多かったが、名古屋放送局で２０２２年度から始まった多文化共生のコーナー「ハロー！ネイバーズ」のリポーターに、ブラジル出身の男性リポーターを採用することを提案し実現した。

　では、実際、テレビの出演者のジェンダーバランスはどうなっているのか。

　ＮＨＫの放送文化研究所は２０２１年６月の１週間に放送されたＮＨＫの番組と在京民放の番組の「テレビのジェンダーバランス」について、主な登場人物のべ８４８０人の性別や年代、出演番組とジャンルや職業分野の調査を行った。[*1]

　その結果、女性が約４割、男性が約６割だった。また、年代別にみると、女性は20代、男性は40代が最も多く、テレビに出ているのは「若

役割別(レギュラー出演者)女性・男性の登場人物

作成・NHK放送文化研究所

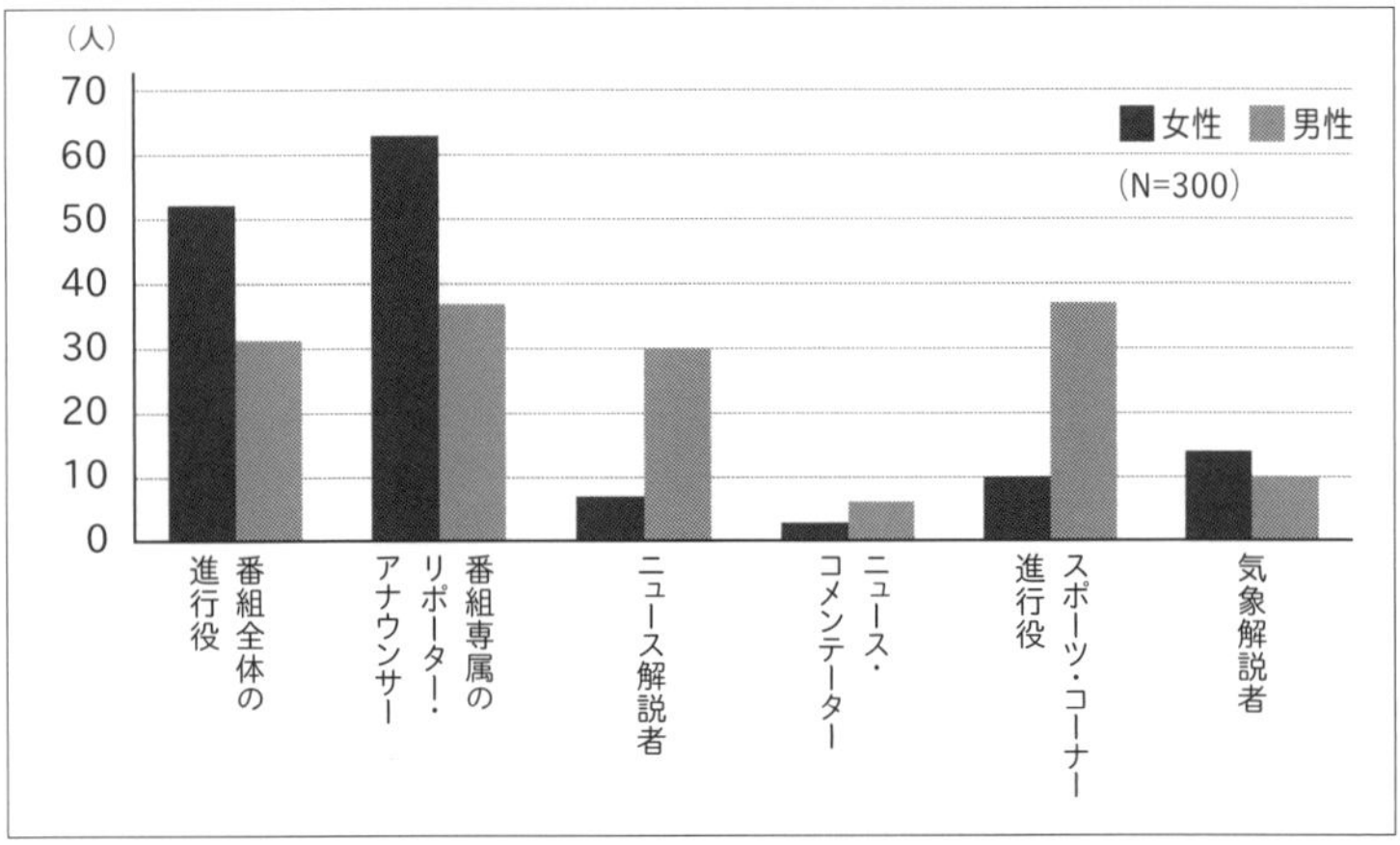

い女性と中高年の男性」という構図が明らかになった。

ニュース番組ではどうか。

2021年11月と2022年1月の平日5日間、NHKと在京民放の6つの夜のニュース番組で発言した、もしくは発言が引用された人物のべ2294人を分析した結果[*2]、女性はほぼ3割、男性が約7割と、女性は半分以下だった。

さらに、レギュラー出演者を役割別に見てみると、「番組全体の進行役」「番組専属のリポーター・アナウンサー」では女性が男性より多かったが、ニュースの意味づけを行う解説者などは男性が多いことがわかった。

また、職業・肩書き別にみても、大半の

分野で男性が多く、「政治家」は男性は３００人を超えたが女性は60人あまりと男性が女性の約5倍、「医師」は男性60人に対して女性１人、「メディア・マスコミ関係」「財界人・企業経営者・役員」「企業管理職」でも圧倒的に男性が多いという結果だった。

テレビに登場する人物の男女の偏りが人数だけでなく、年代、職業、番組内での役割などに及び、それが繰り返されることで、性別役割の固定観念や分業意識を強化するという懸念も指摘されている。[*3]

ＢＢＣの出演者の数値目標

出演者のジェンダーバランスについて、先進的な取り組みとして、イギリスの公共放送ＢＢＣが２０１７年から自発的な活動として始めた、出演者の男女の比率を同等にする「50：50プロジェクト」が知られている。ＢＢＣのダイバーシティ推進計画「Diversity and Inclusion Strategy 2016-2020」によると、「On Screen（出演者）」だけでなく「Off Screen（職員・スタッフ）」の多様性の確保として、ジェンダーや人種などカテゴリー別に数値目標が掲げられている。[*4]女性は出演者が50％、職員も50％で、２０２０年3月の達成率は、出演者が55・7％、スタッフが48・3％、リーダーは45％となっている。

日本でもメディアの女性の割合は年々増加している。令和4年版（2022年）の『男女共同参画白書』によると、新規採用の時点では、新聞、通信社、NHK、民放各社とも、ほぼ半数が女性となっていて、記者に占める女性の割合は新聞・通信社では23・5％となっている。一方で、女性管理職の割合は、新聞・通信社で8・6％、民放各社が15・3％、NHKは11・1％で、30％という目標と比べると依然低い状態が続いている。[*5]

炎上しない、は目的ではなく結果

ジェンダーの表現について、参考にしているガイドラインがある。2021年、東京オリンピック・パラリンピック開催を前に国際オリンピック委員会から日本語訳が公表された「スポーツにおけるジェンダー平等、公平でインクルーシブな描写のための表象ガイドライン」だ。[*6] このガイドラインは、例えば、女子のスポーツには「女子サッカー」と修飾されたり、ママアスリートのようにジェンダーの役割で呼ばれたりすることなどが指摘され、スポーツに限らず、報道する際に何に気をつけたらいいのか具体的に知ることができる。また、ジェンダー平等な報道のためには、報道内容とスタッフについてジェンダーバランスが取れているか、偏っているのか「ジェンダー監査」を行うことなども提案されているので、ぜひ、学校や職場で共有してほしい。

また、ジェンダー平等実現のためには、メディアが発信する記事を見直さなければならないと、2022年3月現役の新聞記者やフリージャーナリストが『失敗しないためのジェンダー表現ガイドブック』[*7]を出版した。その中で失敗しないための4つのポイントとして①意思決定の場に女性がいる割合、②フラットな人間関係、透明性あるコミュニケーション、③「自分も当事者」の視点、④組織まるごと意識を更新、が重要だとしている。

「炎上しない」ことは目的ではない。報道・制作の意思決定の場に多様性があり、学び、違和感が伝えられる職場環境があれば、結果として、炎上にはつながらないということだと思う。視聴者が多様化し、SNSなどを通じて誰もが情報を発信する時代となっている今、信頼されるメディアとして重要なのは、作り手側のジェンダー平等、多様性、透明性の確保とともに、日々、意識をアップデートしていくことだと感じる。

【注】

＊１　調査報告「テレビのジェンダーバランス」『放送研究と調査２０２２年５月号』ＮＨＫ放送文化研究所

＊２　性別や年齢層は番組を視聴し、テロップやナレーションがない場合は映像などから判断したため調査には一定の誤差あり。

＊３　研究発表「テレビのジェンダーバランス」ディスカッションから『放送研究と調査２０２２年８月号』ＮＨＫ放送文化研究所

＊４　「海外公共放送とダイバーシティ戦略〝多様性〟の指標とは」『放送研究と調査　２０２１年２月号』ＮＨＫ放送文化研究所

＊５　「各種メディアにおける女性の役割の推移」『男女共同参画白書 令和４年度版』内閣府（https://www.gender.go.jp/about_danjo/whitepaper/r04/zentai/html/zuhyo/zuhyo10-06.html）

＊６　国際オリンピック委員会「スポーツにおけるジェンダー平等、公平でインクルーシブな業者のための表象ガイドライン」２０２１年版　日本語訳（https://gtimg.tokyo2020.org/image/upload/production/mdantpv0xyza3odwipqx.pdf）

＊７　新聞労連ジェンダー表現ガイドブック編集チーム『失敗しないためのジェンダー表現ガイドブック』（小学館、２０２２年）

リスクある撮影シーンを変える最前線

白河桃子

「封じられてきた声　映画界の性暴力――被害をなくすために」（「クローズアップ現代」2022年6月14日）に白石和彌《しらいしかずや》さん（映画監督）とともにスタジオゲストとして出演させていただいた。『週刊文春』が火をつけた日本の映画業界の#MeToo問題[*1]は、多くの方の身を斬るような訴えにもかかわらず、アメリカの#MeTooのような大きな報道のうねりにはなっていない。その中で、NHKのこの番組は、業界構造や再発防止に踏み込み、丁寧な取材を重ねたものだった。

私は映画業界の専門家ではないが、財務省とテレビ朝日の記者の間で起きたセクハラ事件の後『ハラスメントの境界線――セクハラ・パワハラに戸惑う男たち』を出版している。この本には「ハラスメントを個人間の問題として片付けてはいけない。ハラスメントは組織の病でもある」というメインテーマがあるのだが、NHKの取材チームは、取材の最初にこの本を読んでくれたという。

私は企業の働き方、ダイバーシティ、ジェンダーなどについて本を書き、講演をし、政府の有識者会議の一員として政策提言をしているが、働き方もハラスメントもジェンダー課題も、「うちの業界はほかとは違うから」という意見が必ずあがる。つまりどの業界にも特有の事情があり、一緒にしてくれるなということだが、どの業界にも共通するのが「同質性のリスク」である。

多様性がイノベーションの源泉であることは広く知られているが、日本の場合「多様性がない＝同質性」のリスクの部分の方にフォーカスしてほしい。不祥事を起こしやすい組織は同質性が高く、そこには「集団浅慮（グループシンク）」（ジャニス）[*2]が起きる。集団浅慮とは個人は優秀なのに、集団となると個人の総和よりも劣ったレベルの意思決定をすることを言い、さまざまな防止策が論文になっているが、「日本軍の失敗」なども例としてあげられる。「集団の実力の過大評価」「不都合な悪い情報を入れない」「内部からの批判や異議を許さない」「他の集団をきちんと評価しない」「逸脱する人を許さない同調圧力」「集団内の規範を重視する」などの事象が起きている。

この「集団内の規範を重視する」が、ハラスメントと深く関わっている。ある集団にいると当たり前のことが、外の世界ではとっくに非常識、アウトになっているのに気が付かないのだ。同質性の高い組織に起きやすい問題で、当然そこにはジェンダーバランスが悪い、権力勾配が強い傾向がある。

美術、文学、演劇、映画など表現に関わる有志によって設立された「表現の現場調査団」[*3]の調査発表によれば、調査に回答した1449人のうち、過去10年以内に「(何らかの)ハラスメントを受けた経験がある」と答えたのは1195人だった。エンタメ、アートなどの業界にセクハラ、パワハラが横行しているのがわかる（『表現の現場ハラスメント白書2021』)。さらに表現の現場のハラスメントの要因としてジェンダーバランスの不均衡、権力勾配があることを実証するべく、同団体は次の調査を行った。そして『ジェンダーバランス白書2022』を発表し、美術・映画・文芸などのジェンダー不均衡を明らかにした。受賞者・審査員は男性7割以上、女性3割以下が常態化している。対象となった業界から#MeTooを訴える声が続いている。

同質性のリスクを排除するためにどうすればいいのか？　多様なメンバー、特に最大のマイノリティである女性、さらに若手が意思決定層にいることが重要だが、そのためには働く環境整備が必要になる。業界の環境整備の一例として近年の映画制作業界に起きたさまざまな最新の事例を紹介する。

黒船Netflixがもたらしたもの

Zoomの画面に今日のセミナー参加者の顔が映し出される。初めて受けるセミナーだからか、皆少し緊張した表情だ。集まっているのは、Netflixのオリジナル作品「ヒヤマケンタロウの妊娠」の制作チーム。スタッフ、プロデューサー、有名な俳優の顔もある。

「上の立場の人が『仕事の後飲みにいかない？』と誘う。断ると『断るの？　君の仕事なくなるよ』と言われる。こんなケースについてどう思いますか？」

講師（ピースマインド株式会社）が柔らかく問いかける。

「ハラスメントだと思います。側から見ていても気持ちがいいものではない。でも誘っている方は気付いていないのかもしれない」と女性からチャットの書き込みがある。

講師はさらに対話を促す。

「気付いてもらうには、どうアクションしますか？　ハラスメントと言いにくいなら、『相手に対するリスペクトがないように思います』と話すのはどうでしょう？」

これはNetflixが作品に導入している「リスペクト・トレーニング」の講習だ。

ハラスメントを未然に防ぐための講習で、どんな立場の人も、プロデューサー、監督、スタッフ、キャスト、全員が受けないと撮影は原則始まらない。#MeToo以降、ハリウッドでもハラスメントに関連したトレーニングが盛んだが、全世界で100か所以上ある制作現場に導入するのはNetflixが初めてだ。日本では「全裸監督」以降、全てのNetflixオリジナル製作作品（製作費を出資する作品）で実施している。

通常のハラスメント講習と何が違うのかといえば、対話型であること、業界に特化した事例が豊富にあることだ。Netflixプロダクション部門小沢禎二《ていじ》さんはこう表現する。

「ハラスメントの白黒を伝えるトレーニングではないことです。あなたの行動に相手に対するリスペクトはありましたか？　と問いかけて、立ち止まって考える筋肉を作るトレーニングです」

講師は、法的なNG項目以外のグレーな部分は参加者の対話が生まれるようにしている。講師は次の事例を出す。

「『二人で芝居の練習をしよう』こういうのはどうでしょう？」

場面は、業界の現場でありそうなことばかりだ。自分の体験を語り出す人が出てくる。

「私の場合、編集作業の経験ですが、ビジネスホテルで缶詰になるのではなく、会社の会議室でやるべきかと思いました」

Netflixは映像処理技術やスタジオだけでなく、作品に関わる人たちの「QOL」、働き方やワークライフ・バランスも重視している。

「働く環境に投資することも、お客様にいい作品を届けることに繋がるというのが私たちの信条です」(Netflix小沢禎二さん)

他にもハラスメントを通報できるホットライン、長時間労働を防ぐための方策(撮影時間は12時間、仕事の間を10時間あける、週1回の休みなど)もあり、パワハラ、セクハラや過酷な長時間労働という、かつての「当たり前」を変えようとしている。また、セクシャルな場面には、関係者の期待値を調整するインティマシー・コーディネーターが活躍する。インティマシー・コーディネーターとは、「性別に関わらず役者が裸/ヌードになるシーン、またヌードの有無に関わらず、擬似性行為や身体的接触のあるシーン、入浴シーン」について、スタッフと俳優の間の調整を行う専門職だ。

2017年に米国で始まり、ハリウッドでは一般的になりつつある。日本のNetflix作品はアメリカのインティマシー・プロフェッショナル・アソシエーション(IPA)のトレーニングを受けた日本人が担当する。キャストへのセクハラや、強要によるトラウマを未然に防ぐ効果があるのだ。

このようにリスペクト・トレーニングやインティマシー・コーディネーターなどの取組

はビジネスリスクを軽減する。ハラスメントなどを未然に防ぐことは、作品そのものや関わる全ての人を守る意味もある。例えば独占配信によりNetflixが飛躍するきっかけとなった人気シリーズ「ハウス・オブ・カード」だ。本シリーズでは主演俳優ケヴィン・スペイシーの#MeTooによる降板、あわや打ち切りかという事態を経験している。長期の人気ドラマに関わる膨大な人たちが雇用を失い、作品のファンを失望させるところだった。取り返しがつかないリスクである。

前述の『表現の現場ハラスメント白書』によると「映画の撮影のためだと言って賃貸の部屋に入って来られ性交を強いられる」「殴る・蹴るの暴行を受け、それを撮影され、映画として公開された」などの生々しい声があった。調査の回答者の半数以上がフリーランスで、立場が弱く、組合もないので、ハラスメントにあっても声を上げることができない。

しかしNetflixという黒船がきたことで、日本の業界も大きく変わるきっかけになるのではないか？　全員がリスペクト・トレーニングを受けない限り、撮影は始まらない。強い意志を感じる。

業界全体への広がり

Netflixはこのトレーニングが広がり、日本の業界の環境が変わることを歓迎している。白石和彌監督が東映作品『孤狼の血 LEVEL2』に導入し、テレビドラマなどさまざまな現場に広がっている。NHKは大河ドラマをはじめ、2021年から多くのドラマの現場に「リスペクト・トレーニング」を入れている。NHKメディア総局第3制作センター（ドラマ）副部長小西千栄子さんに導入の効果を聞いてみた。NHKのドラマの部門も8割は男性職員だ。怒号が飛び交うのが当たり前の現場で鍛えられてきたが「本当にそれでいいものが生まれるのだろうか」と疑問を持ってきたという。

「緊張感のある現場と恐怖感のある現場は違うんですよね。怒鳴ったりするのはよくないということで言葉使いが変わったり、俳優さんの中には『上が若い女優さんを飲みに誘ったら断れないよね』とはっきり口にしてくれる人もいました」

若い男性キャストは「収録現場で助監督が怒鳴られているのをみてすごく怖かった。自分も緊張しちゃって、それではいいパフォーマンスがでない」と発言してくれたそうだ。多くの人が言えなかったことが、トレーニングで言語化された。権力を持つ側の無自覚さも反省として語られる。これまで高圧的な態度で知られていたベテランスタッフが「いきなり相手の否定から入るのはよくない」と言い出して、周囲を驚かせるシーンもあった。

「マネージャーの中にも意識の高い人が増えており、『私も参加していいですか』と言ってくれます。ただ、ほかの仕事をおして参加するには周囲の理解が必要ですが、まだ十分には環境が整っていないので、少しずつ意義を浸透させていきたいと思います」（小西さん）

白石監督の現場でのリスペクト・トレーニングも費用は「広告費」から賄ったという。全員参加にはやはりNetflixのように製作費に組み込まれていることが必要だ。残念なことに「パワハラ性被害」という「公開中止」につながりかねない大きな経営リスクを防ぐことが、まだきちんと予算計上されていない。

構造に切り込む仕組みづくり

現場の「個人が気をつけよう」だけでなく、センシティブなシーンに介入し調整する役割がインティマシー・コーディネーターだ。近年の現場は「ブラックとホワイトに二極化している」とインティマシー・コーディネーターの西川ももこさんはいう。西川さんは日本に二人しかいないインティマシー・コーディネーターの一人で、映画もドラマも依頼は増えている。

「アメリカでは制作プロジェクトベースでの契約となり、HBOなどは『必ず入れます』と声明しています。日本ではスポットで行くことが多く、プロデューサー、監督が若く危機感を感じている人が依頼してくれる」

「男性ばかりで決めていいものか、今まで不安だった」とスタッフに言われるそうだ。ジェンダーに関わらずコーディネートの対象となるので、男性の俳優からも感謝される。

「相手のNGが知りたい。後から加害者になりたくないし、自分も安心して臨める」

西川さんを呼んだスタッフはまた次もと依頼してくる。

映像制作の現場はフリーランスが多く、約9割が契約書をかわしておらず（文化庁調べ）、制作委員会方式など多重な重層構造で「安全安心な雇用環境」の責任が曖昧だ。女優の森崎めぐみさん（一般社団法人日本芸能従事者協会代表理事）は、フリーランスの労災保険の適用に働きかけ、文化庁の「文化芸術分野の適正な契約関係構築に向けたガイドライン」の検討会にも実演家として委員を受嘱した。ガイドラインと契約書のひな型には、業務内容、報酬、安全・衛生、権利など保険のあり方や「ハラスメント防止への配慮」があり、センシティブなシーンについての配慮にも触れられている。経産省も映画制作現場の適正化に向けたガイドライン[*4]を出し、それに基づき、作品認定制度（認定マーク）を導入した場合のコスト評価を行い、仕組みづくりに取り組んでいる。

韓国ではすでに2016年からの#MeToo運動をきっかけに、韓国映画監督組合や「韓国映画性平等センター」によって、ハラスメント防止教育や相談窓口の環境整備が進んでいる。専門スタッフによる相談は、メンタルクリニック、法律事務所とも連携し、日本円で50万を目安に訴訟や治療の補助をする。

『パラサイト』でアカデミー賞を取ったポン・ジュノ監督が使用しているとして話題になった標準労働契約（最低賃金と週52時間制などを担保）を7割が使用している。普及の理由は「補助金」を条件にしていることだ。

日本でも是枝裕和監督らが日本版CNC（国立映画映像センター）の設立を求めて記者会見を開いた。これはフランスや韓国のCNCに倣い、チケットなど興行収入からの費用を労働環境の整備などに回す恒久的な仕組みだ。公的なメンタルケア相談窓口はフリーランスが利用できないため、森崎さんらは「芸能従事者こころの119」という臨床心理士によるメール相談を開設し、料金は日本芸能従事者協会が負担している（2022年6月）。

日本の環境整備はやっと始まったばかりだ。

報道の役割とは

前述のＮＨＫの「クローズアップ現代」の放映後、ＮＨＫのドラマ・エンタメ制作の上層部から職員宛に「この問題を解決していかないと未来はない、ＮＨＫは業界の先頭に立って取り組んでいくべき」との叱咤激励もあったという話を聞いた。

米国や韓国の事例を見ても、性暴力被害者の身を斬るような訴えだけでなく、それに呼応したメディアの入念な調査報道が業界を、社会の空気自体を変える原動力となっている。アメリカではローナン・ファローや米有力紙ニューヨーク・タイムズの二人の女性記者の調査報道がきっかけとなっている。韓国ではテレビ報道番組の「ＰＤ手帳」「映画監督キム・ギドク、巨匠の素顔」（ＭＢＣ、２０１８年）[*5]が映画界の#MeTooを加速した。日本ではＮＨＫのようなメディアが率先して取り上げることはとても大きい。「クローズアップ現代」の放映後の反響を聞いてみた。

放映前に8社の媒体がとりあげ、当日の視聴率の数字以上に反響が大きかったのがデジタルで、デジタルでは今年度1位と局内の評価も高かったという。「ＷＥＢでの反響が今年度もっとも大きくなりました（放送時点）。Twitterのオススメに掲載され、タイムラインに『クロ現の』投稿が表示されたのは1週間でおよそ150万とこれまでの3倍に上るなど、普段のNHKのお客さんとは違う人達にリーチしてもらえました」ということだ。

視聴者から「なぜ被害者は実名なのに加害者の実名を出さないのか」という問い合わせもあった。「今回の番組の主眼は、事件として加害者の責任を追及することよりも、被害者のことばを丁寧に記載し、業界の構造の問題として提起することにあった」という。MeDiが行った記者向けのワークショップでも「加害者の言い分をそのまま出していいのか」「裁判で判決が確定していない現在進行形の事件は取り上げにくい」という声があった。

私はスタジオゲストとして事前に取材されたビデオを見るのだが、それは生放送直前のうちあわせの席となる。私も白石監督も事前にどのようなコメントをするかは取材されていたが、印象的だったのは白石監督がビデオを見て衝撃を受け、事前取材とは違う話をしたいと言ったことだ。

やはり被害者の実名顔出しの映像のインパクトは、長年業界にいる映像のプロをも圧倒する説得力があるのだ。番組で白石監督は「30年近く映画界にいて、こういったことに気づけなかった、直すことができなかったということに大きな責任を感じています。

（中略）僕はなんとかサバイブできて。今サバイブできずに被害を受けて、夢を持って入ってきた業界なのに、やめざるをえなかった人たち、心に深い傷を負った方たちのことを考えると、本当にことばが出ないです。今、このタイミングでいろんな声を出すことが本当に重要だと思っています」と語っている。

ＮＨＫは業界団体等にも取材をしたが「ＮＨＫが週刊誌ネタをとりあげるなんて……」と最初は多くの団体関係者に言われたそうだ。しかし3か月取材を続けるうちに先方の意識に変化を感じたという。取材にいった映画会社の壁に「ハラスメント防止規定」が貼られていた。そして中でも業界関係者からショックだったという声が聞かれたのは、原作者である山内マリコ氏らの「性暴力撲滅の声明」（「原作者として、映画業界の性暴力・性加害の撲滅を求めます。」２０２２年4月）だったそうだ。映画の世界の内部にはいないが、冒頭のクレジットに名前が出る原作者たちが「原作を引き上げる」という声明はインパクトがあった。多くの被害者の声が、関係者の努力が、「変えよう、変わろう」というムーブメントを作りつつある。

私は「お金を出している側、リスクがあったら一番損をする側がまず変化を起こすべきだ」と考える。日本でも#MeTooによる映画の公開中止はすでに始まっている。もしグローバルにコンテンツを売りたいなら「労働契約も曖昧でいつ#MeTooがあるかわからない」作品には怖くて手が出せないのではないか？　ビジネス上のリスクとして、スポンサーや映画制作会社は率先して変化の担い手となってほしい。環境を整備することで「労働時間やコンプラを気にして作品がつまらなくなる」という言い訳はもう通用しない。韓国のアカデミー賞の受賞やK-Dramaのグローバルなヒットが、「環境を整備するほど、おもしろくなる」ことをすでに証明してくれているのだから。

ジェンダーバランスが悪く、働き方やパワハラセクハラなどが昭和のまま、変化できない業界の構造を変えたいと思う人には、一連の映画業界の状況はとても参考になると思う。誰がどう変えるのかということだ。業界内部からの被害者の声、業界のボトムからトップまで、さまざまなレイヤーの有志による声明や仕組みづくり、グローバルの動向（#MeToo、Netflix、韓国など）、政府のガイドラインや規制、メディアの報道などが連動して変化を進める。前述したローナン・ファローやニューヨーク・タイムズの記者をはじめ、アメリカでは大手メディアの入念な調査報道が、実力者のプロデューサーであるワインスタインを有罪にし、業界や社会のジェンダー規範に影響を与えたのは特筆すべきことだ。そしてもう一つ、「同質」の内部だけでは変化を起こすのは難しいということだ。「この業界を変えたい」と思う人ほど、外の人と協働してほしい。映画原作者たちが声を上げたように、外からの声は「業界の常識」に刺さるインパクトがあるのだ。

【注】

＊1　『週刊文春』3月17日号「女優4人が覚悟の告白「人気映画監督に性行為を強要された」」から3週連続で映画監督、俳優などの性暴力を告発した記事が掲載された。告発されたのは映画監督の榊英雄氏。その後3月25日公開予定の新作映画『蜜月』が公開中止となる。

＊2　Janis,I.L. *Groupthink(2ndedition)*,Boston,MA:HoughtonMifflin, 1982.

＊3　「表現の現場調査団」は２０２０年11月に表現に携わる有志で設立された。５年間の継続を前提に、表現の現場における様々な不平等を解消、ハラスメントのない「真に自由な表現の場を作る」ことを目的としている。『表現の現場ハラスメント白書２０２１』（２０２２年３月　https://www.hyogen-genba.com/qsrsummary）、『ジェンダーバランス白書２０２２』（２０２２年８月　https://www.hyogen-genba.com/gender）などの調査発表をしている。

＊4　「映画制作現場の適正化に関する調査報告書」経済産業省（２０２１年４月　https://www.meti.go.jp/press/2021/04/20210430010/20210430010-1.pdf）

＊5　テレビ報道番組「ＰＤ手帳」で、二人の女優が映画監督のキム・ギドクからセクハラや性的暴行を受けたことを告白した。Japanese Film Projectの手で日本語字幕がつけられ、YouTubeで見ることができる。（https://note.com/jpfilm_project/n/n1c09427c481f）

子ども向け アニメーションと ジェンダー表現

石川あさみ

自分の将来を決められない男の子が、母親から「ビシッと決めなさい、男でしょ！」と怒られ、優柔不断な自分は女なんじゃないか、と悩む、というシナリオが届いた。わたしが参加している番組の脚本家が書いたものだ。最終的には、「男の子だって迷っていい」という結論になるのだが、そこまでの過程が問題だった。「一度、女の子になってみたら？」と助言をされた男の子は、ドレスにハイヒール、ウイッグを着け、ワクワクするかどうかで自分が女か男かを判断しようとする。セーラー服、振袖、チャイナドレス、ウエディングドレスも着てみた。それでも自分の性自認がわからない。そこで、相談に乗ってくれた女の子の兄と模擬デートをし、今度はドキドキするかどうかで女か男かを判断しようとするのだ。

スカートにワクワクすること、男の子にドキドキすることが女性の特性ではないし、男の子がスカートを穿いても男の子とデートをしても構わない。それどころか、好きな人がいなくたって構わないはずだ。もう少し踏み込むのなら、ジェンダーバイアスにさらされる前の子どもたちに、女は優柔不断である、という偏見を大前提のように植え付け、そこから「そんなことはありませんよ」と否定してみせるストーリー構成も、幼児向けの作品として大きな問題を孕んでいるように感じる。

しかし、シナリオになっているということは、その設計図であるプロットに対して、監督や制作会社のプロデューサー、原作がある場合は版元などがオッケーを出したということだ。つまり、それだけの人数の人間が関わっていながら、誰ひとりとしてこの内容に疑問を抱けなかったということになる。極端な例かもしれないが、これがわたしが働いている制作現場の現状だ。

脚本家になって十数年、『名探偵コナン』や『はなかっぱ』、インド版『忍者ハットリくん』などのアニメや漫画、児童書など、子ども向けの作品に携わってきた。その中で感じたのは、ジェンダー問題にはなるべく触れたくない、という根拠のない苦手意識だ。

だが、2015年の国連総会でSDGsが採択され、ジェンダー平等への関心が高まると、テレビ局や出版社も、ジェンダー問題を扱うことが必須である、という空気に変わる。わたしが参加した番組でも、局の方から「ジェンダー平等をテーマに」という要望が出た。

やっと主題としてジェンダー問題を扱った話が書ける、と喜んだのもつかの間。上がってきたシナリオが最初に紹介した内容だったのだから、なんとも頭の痛い話である。

上っ面だけの炎上対策ではなく、本格的にジェンダー平等をテーマにした番組を作ろうとしていたのに、どうしてこのような事態に陥ってしまったのか。これが医療ドラマや法廷ドラマであれば、医療現場や法廷を知らずにシナリオを書こうとは思わないはずだ。しかし、今回のケースでは、性自認と性的指向、性表現を混同するくらいジェンダー問題に明るくない脚本家が、進んでこの題材に手を出している。

わたしは、問題の根底に「性的少数者に対する差別なんて勉強しなくても理解できる」という侮《あなど》りと、「自分は差別などしない」という驕《おご》りがあると感じた。脚本家だけの問題ではない。ジェンダーの知識に暗い脚本家を選んだプロデューサーからも、同種の侮りを感じる。

おそらく、彼らにそんなつもりはないのだろう。番組を見ている子どもたちにこんなことを伝えたい、と真剣に議論しているのも知っている。しかし、想定している子どもが、すでに高校生や大学生になった息子や娘の小さい頃であったり、50年以上前の彼ら自身であったりすることも多く、そこにひとつの限界が生まれているように思う。

社会は目まぐるしい速さで動いている。その変化を、子どもたちは敏感に捉え、吸収していく。先日、高校演劇の全国大会を観る機会があったのだが、高校生たちにとってのコロナ禍の3年は、大人とはまったく違うスピード感と重さを持ってそこにあるのだと実感した。子どもに向けて創作をしているわたしたちは、今の子どもたちの感覚が自分たちの時代とはまったく違っていることを認識するべきなのだ。

冒頭のシナリオに話を戻そう。実は、このシナリオがまだプロットだった段階で、わたしは自分が感じた違和感を伝えている。前述のようなジェンダーバイアスの強化につながる表現だけではなく、ルッキズムやアウティングなど、憂慮すべき問題がいくつも見受けられたからだ。しかし、ほとんどの指摘は「気にしすぎ」「ギャグっぽくすれば大丈夫」といなされ、検討すらしてもらえなかった。

シナリオの問題点を指摘したところで結果は同じだろう。だが、指摘をしなければそのまま放送されてしまう。番組が炎上してもわたしに責任があるわけではないが、視聴者である子どもたちに申し訳が立たない。

わたしは、局のプロデューサーに、ジェンダー問題に詳しい方に監修をしてもらえないか、と相談をした。脚本家が指摘してもダメならば、プロに頼る以外ない。男性である局のプロデューサーは、「自分も同じような違和感を持っていたので、専門家を呼びましょう」と請け負ってくれた。

しかし、現場の意思決定層は、余計な口出しをされるのでは、と怯え、監修者から指摘を受けてもストーリー構成をなるべく直さずにすむ言い訳を考えはじめた。「正しいことだけでは物語にならない」「LGBTQの定義はちょっと間違っているけど、お話としては違和感ないから」といった具合に。

いいですか、「物語だから」という言い訳で、マジョリティに都合のいいキャラクターを押しつけられてきたから、わたしたち女性や性的少数者は怒ってるんですよ。

フィクションであることを差別表現の免罪符にしてしまう物語優先主義的な思想

は、自分も含め、創作に関わる人間が多かれ少なかれ持っていると思う。しかし、わたしたちはいい加減、多くの物語がマイノリティを傷つけてきた事実と向き合わなくてはいけない。もし、書きたいものが「物語にならない」のだとしたら、その脚本家の感覚が時代から取り残されているというだけだろう。

ともあれ、監修者はシナリオに潜む偏見を指摘し、その場にいる全員が理解できる言葉で説明してくれた。さらに子どもが直面しているジェンダー課題について、物語上でエンパワメントする具体的な方法も提示してくれている。おかげで過剰な監修アレルギーも落ち着き、冒頭のシナリオは白紙に戻されることになった。

これまでにジェンダー問題で炎上したCMや広告にも、企画段階で批判の声を上げた人はいただろう。口に出せないまでも、心の中で批判していた人はさらにたくさんいたはずだ。わたしも、他の脚本家から「まったく同じことを思っていたのに、何も言えなくてごめんね」と謝られた。

いいよ、謝らなくて。監督やプロデューサーから、生意気だ、と思われたら、その人が関わる作品に呼ばれなくなるかもしれないもんね。仕事を失う覚悟で声を上げてくれ、とはさすがに言えない。

そのかわり、今回、同じ危機感を持っていた脚本家の仲間たちへ、「監修の先生との会議を見学したい」「録画を共有してほしい」とプロデューサーに連絡してくれるようにお願いした。唯一、問題意識を共有できた若いプロデューサーにだ。わたしたちはこの問題に関心がありますよ、ずっと見ていますからね、という気持ちを、これからの作品を作っていく彼に伝えたかった。

いや、見ているだけではない。いつまでも黙ってはいませんからね、というわたしからのメッセージがこの文章だ。

石川あさみ　いしかわ・あさみ

脚本家。小劇場の演出家・劇作家・俳優、ラジオの構成作家を経て、2010年ノイタミナ『屍鬼』でデビュー。『名探偵コナン』、『はなかっぱ』、『笑ゥせぇるすまんNEW』、『とある科学の一方通行』、インド版『忍者ハットリくん』などのアニメの脚本を手がけるほか、『海・川の危険生物スペシャル』(朝日新聞出版)、『12歳までに身につけたいルール・マナーの超きほん』(朝日新聞出版)などの漫画原作を担当。児童書の企画・編集・執筆も行なっている。2021年より、山梨県笛吹市の小中学校に生理用品を設置する活動を開始。

05

スマホ時代の公共の危機
――ジェンダーの視点から考える

林香里

林香里　はやし・かおり

東京大学大学院情報学環教授、東京大学理事・副学長（国際・ダイバーシティ担当）。ロイター通信社、東京大学社会情報研究所助手、ドイツ、バンベルク大学客員研究員を経て、現職。専門はジャーナリズム、マスメディア研究。2016～2017年ノースウェスタン大学、ロンドン大学、ベルリン自由大学客員研究員。著書に『メディア不信』（岩波新書）、『〈オンナ・コドモ〉のジャーナリズム』（岩波書店）、『テレビ報道職のワーク・ライフ・アンバランス』『テレビ番組制作会社のリアリティ』（ともに大月書店・共編著）、訳書にドミニク・カルドン『インターネット・デモクラシー』（共訳、トランスビュー）などがある。

H・アーレントの「複数性」から見るスマホ管理社会

スマホ依存——いやスマホ中毒と呼ぶべきだろうか。すでに3章でも議論したように、私たちはスマホを肌身離さず携帯し、そしてスマホは私たちの行動や思考様式までをも変容させている。最近、翻訳が出版されたフランスのベストセラー、ブリュノ・パティノ『スマホ・デトックスの時代——「金魚」をすくうデジタル文明論』では、アメリカの「タイム」が2015年に、人間はついに金魚よりも一つのことに集中する持続時間が短くなったという報道を取り上げている。[*1] それによると、マイクロソフトは、2000年以降（つまりモバイル革命が始まった頃）、平均的な注意力が12秒だったのが、いまや8秒に低下したことを発見したという。金魚の集中力は9秒。集中力がついに金魚を下回ったという見出しをつけ、社会全体で、人間の集中力が明らかに低下したと警告している。

スマホが私たちの行動を、そして頭の中を支配していく感覚の中で、と同時にそこから逃れられそうもないという諦観を抱きながら、私は20世紀の哲学者ハンナ・アーレントが「公共的領域」に必須な価値として提示した「複数性 plurality」という概念を改めて思い出す。

「複数性」とは耳慣れない言葉かもしれないが、この言葉は、20世紀に世界が経験した全体主義を振り返り、その対抗概念としてアーレントが強調した。アーレントは、自分たちとは異なる思想や価値観をもった「他者」の存在を認め、ともに生きることこそが、人間の人間たるゆえんであり、そのような人間的な生き方を可能にする「複数性のある世界」にこそ、〈公共〉の空間は成立し、民主的合意形成に至る活動が可能になるとした。逆に、他者との共存が可能である「複数性」のない社会は、個別バラバラの人間が孤立し、共に世界をつくろうとする民主主義が放棄され、共通世界を見出せないまま、「他者」の存在しない全体主義へと向かうとも警告した。

情報やデータの洪水に溺れんばかりの現代社会で、「全体主義」などという聞き捨てならない言葉を持ち出すことの妥当性に、私自身、100％確信があるわけではない。また、2010年代以降、ソーシャルメディアによる＃MeTooムーブメントのように、世界的に女性やマイノリティたちがつながり、フェミニズムの「第4波」とさえ言われるような大きな潮流も生まれた。私はそれを否定するものでもない。むしろ、21世紀は、インターネットのおかげでジェンダーやマイノリティの複数性が声となって世界とつながり、全体主義への対抗原理が生まれた時代でもある。

しかしいま、現実はむしろ、社会が細分化され分断され、世界中で意見の分極化も問題になっている。「エコーチェンバー」や「フィルターバブル」という言葉に象徴されるように、公共的領域が分断、萎縮していき、「世界がただ一つの側面で見られ、ただ一つの観点で示され」るような、仲間内の小宇宙の複製へと向かいつつあるのではないか。そこでは、イノベーションは現状の強化のために利用され、ジェンダーやマイノリティなど、人間の豊かな「複数性」も省略される傾向も強まってはいないか。デジタル化の普及とともに社会のあらゆる局面に市場原理が貫徹するテクノ資本主義が蔓延し、アルゴリズムの専制によって似た者同士の糾合が強化されてはいないか。結局、21世紀は、声を上げにくいマイノリティにとって、ますます生きにくい時代へと向かっているのではないか。本章ではそんな研究者やジャーナリストたちの危機感を、読者と共有してみたい。

「薄暗がりの空間」の危険

アーレントによると、公共的領域には人間同士が分かち合うべき「共通なるもの」が宿る。しかし、だからと言って、公共的領域が人間の「共通性」をとおして保障されるのではない。そうではなく、むしろ立場の違いや視点の複数性が意識されながら、それにもかかわらず、皆で同じ関心を寄せているという逆説的な事実によって、共通性や公共は保障されているのだと論じた。アーレントはまた、私的領域には「他者」が存在しないと言う。私的領域とは家族などの似た者同士が集い、公共からは隠れた場であるので「他者によって見られ聞かれることから生じるリアリティを奪われている」空間だからである。このように、私的領域と公共的領域とは相互補完関係の下で生かされており、私的領域では人間それぞれがユニークな人間性を育む一方で、公共的領域はそうしたユニークな人間的存在が交わる場所だというのだ。ところが、産業化、大衆化する社会においては、人間は個性を育む私的領域の豊饒さを失い、思考の前提を破壊されて孤立し、他者への意識も養われず、結果的に共通世界としての公共的領域も活力を失っていると問題提起した。

アーレントが論じた、公共的領域と私的領域の補完的関係はネット社会が進むいま、さらに大きくバランスを崩しつつあるのではないか。まず、人間の複数性が意識され、他者から眼差しを受ける「公共的領域」と、それを育てる「私的領域」との稜線があいまいになり、両者が相互に萎縮状態に陥っている。フランスの社会学者ドミニク・カルドン『インターネット・デモクラシー――拡大する公共空間と代議制のゆくえ』によると、ネット空間ではむしろ、この二つの異なる性質の領域のどちらともつかない「薄暗がりの空間」が生まれ、その部分では、これまでは私的領域にとどまっていた自己開示やおしゃべりなどが、本人の意向の有無にかかわらず一気に公共的領域へと飛び出していく。私的なものが公共へ滲みだしていくことが前提となるために、私たちは日々、個人のレベルでは個人情報の取り扱いを気にし出す一方で、自分たちの手には負えないような公開の場での誹謗中傷の類、あるいはリベンジポルノなどの人権侵害につながる危険も認識するようになった。

公共的領域と私的領域の相互浸透によって生まれる「薄暗がりの空間」は、意味空間として前例のない空間となってしまった。というのも、その部分は、「公共の出来事と私事の断絶は、誰もが見ることのできる領域からあまり人目に触れない領域までという、目盛りのついた段階方式へと変化したため、公共の領域と私的な領域をめぐるせめぎ合い」となり、「明確な選択から連続体へと移行」(前掲書) したからだ。今や「誰もが見ることのできる領域とあまり人目に触れない領域を区別するのは、その中身にまったく無関連と思われるデジタルな集計結果」にすぎなくなってしまった (前掲書)。つまり、デジタル空間では、公共的なコミュニケーションなのか私的なコミュニケーションなのかの指標は、異なる他者の存在を意識する公共的意義や他者を尊ぶ礼節の有無などではなく、どこまで見られているかを集積するデジタル集計、すなわち「支持数」「注目数」という、偶然に任せた数が基準となった。

近年、ネット表現空間では私的空間にとどまってきた私秘性が公共的領域へ突如として顔を出し、驚くべき進出をする。ネガティブな例の最先鋒として、外国人排斥、女性処罰《ミソジニー》の言説、わいせつ画像などが「公共的領域」に広がっていく。「薄暗がりの空間」は、表面的には公共的領域であるにもかかわらず、多くの場合、匿名性に守られながら、気に入らない他者を排斥し、他者を傷つける攻撃的かつ感情的な空間の温床となり、一つの見方と一つの局面のみに固執する、複数性を相容れない不寛容な者たちをつなぐ中継地点となる。最近の例では、2020年5月、プロレスラーの木村花さんがソーシャルメディア上で多数の誹謗中傷を受けた後、自死を選んだ痛ましい事件があった。

木村さんの母親、木村響子さんは、花さんの死に至るまでのテレビ局側の対応について疑問を抱き、放送倫理・番組向上機構（BPO）の放送と人権等権利に関する委員会（放送人権委員会）に申立を行った。審理の結果、同委員会は「放送倫理上問題あり」と判断した。

この報告書によると、木村さんは「出ていけクソブス女」「テラハから出てけ」「反吐が出そう」「ゴミ女」といったものや、「てか死ねやくそが」「花死ね」といったものなど、激しい誹謗中傷を受けていたとされる。木村さんの出演していた「テラスハウス」という番組は「リアリティ番組」と言われ、フィクションとノンフィクションの境目であることが人気の秘密でもある。視聴者にとって、番組中の言動や容姿、性格等についてSNSなどでコメントを共有することがリアリティ番組の楽しみ方になっているところがある。とりわけ、リアリティ番組の場合、「リアリティ」というだけあって、誹謗中傷は劇中のキャラクターにではなく、生身の出演者自身に向かう。こうして、本人の言動や容姿、性格等に関する誹謗中傷によって出演者自身が精神的負担を負うリスクは、フィクションの場合よりも格段に高く、専門家は海外でも自死に至ったケースがあると警告してきたという（「ＢＰＯ放送人権委員会」）[*2]。リアリティ番組という、現実とも虚構とも区別のつかない空間で、さらに公共的領域と私的領域のあいまいさの「薄暗がり」で、激しい感情がぶつかりあう。そこでは、公共的領域と私的領域の不分明によって公共的領域の複数性、合理性、そして礼節は崩れ、小さなエゴイストたちによる残酷な公開処刑の場へとなり下がっていく様子が見て取れる。

加えて、公共的領域での情報提供は、これまでジャーナリストなど「プロフェッショナル」が主導権を握っていた。しかし、現状の公共的領域では、そうした「プロの審査」を経ずともだれもが直接、どんな情報でも提供することができるようになった。情報量の総体から見ると、むしろプロのものが占める割合は大幅に低下している。こうして、いわゆる偽情報（フェイクニュース）など無責任な情報や、不確かな噂や表出すべきではないプライバシーが溢れ、時には公共的領域を占拠するまでになった。

その状況を物語るもっとも身近な例はいわゆる「フェイクニュース（偽情報）」である。２０１８年に「Science」に掲載された研究論文では、虚偽は真実よりも速く拡散し、その差は、新奇性の程度および情報を受け取る側の感情的な反応が関係しているのではないかと推測している。同論文ではまた、Twitter上の偽情報のなかでも、とりわけ政治的な話題がより多くの人に、そしてはるかに速く、リツイートされるのが一般的であるとも報告されている（Vosoughi, Roy et al.）。[*3] さらに、ソーシャルボット（人間になりすました自動アカウント）は、「いいね！」を押したり、情報を共有したり、検索したりすることで、フェイクニュースの拡散を数倍にも拡大させ、推定ではTwitterのアクティブアカウントの9〜15％がボットであることもわかっている（Lazer, Baum et al.）。[*4]

また、ソーシャルメディア上では、否定的な感情が優先的に出回るということもわかっている。たとえば、中国のWeiboの分析では、取材や調査によって得た情報よりも「怒り」の感情を伴う投稿のほうが拡散しやすいという結果がある（Fan, Zhao et al.）。[*5] こうした傾向は日本においても確認されており、計算社会科学者の鳥海不二夫によるコロナウイルスに関するツイート分析によると、「怒」や「怖」の感情が含まれるツイートは多く共有される一方、ポジティブな感情は通常より共有されにくかったという。[*6] このような状況を捉えて、2020年3月以降、社会における新型コロナ感染拡大を「パンデミック」と呼んだのになぞらえて「インフォデミック」と呼ぶ人もいる。ネット空間で偽情報、不確かな情報、そして感情的情報が広がり、情報環境が汚染されていくので、「インフォメーション」と「パンデミック」の2語を合わせたこのような造語ができたのである。

公私のあいまいさ、そこからくる「インフォデミック」の問題に加えて、ソーシャルメディアに仕掛けられている似た者同士を引き寄せる「アルゴリズム」の威力も見逃すことができない。2020年にアメリカで出版された『デマの影響力』（英語名 The Hype Machine）の著者であり、先に引用した研究論文の著者の一人でもあるシナン・アラルは、デマが早く拡散する仕組みを「ハイプ・マシン（煽りの仕掛け）」と呼んでいる。その仕掛けとは、ソーシャルメディア上では「価値観、考え方が似通った人たちが集まり、互いの結びつきの非常に強いネットワークを形成する傾向がある」とし、「私たちは、似た者どうしを結びつけやすい情報エコシステムの中に生き」ているために、情報の画一化につながっていると警告している（前掲書）。たとえば、のちに詳述するが、若者に人気のプラットフォーム TikTok は、とくに機械学習アルゴリズムを用いてユーザーの好みを分析し、そのユーザーが好むと考えられる動画をオススメしており、好みの合う者たち同士が効率よく出会える。このオススメ機能の精度が高い点が、TikTok が多くのユーザーを引きつける理由の一端だと言われている。[*7]

似た者同士が集い、異質の者を罵倒するような「薄暗がりの空間」では、これまで「公共的領域」にふさわしいと考えられてきた、他者を意識し、礼節を重んじる複数性の会話はしぼんでいく。いま、アラルをはじめ、こうした状況について多くの研究者たちが懸念を示し、さまざまな手法とともにこの仕組みを調査している。では、この仕組みをもう少し見てみよう。

「アテンション・エコノミー」の仕組み

デジタル化時代、とくにスマホ時代では、ネット空間で「アテンション・エコノミー（注意力の経済）」が駆動する「テクノ資本主義」の仕組みが席巻しつつある。1章と3章にも触れられているとおり、「アテンション・エコノミー」とは、端的に言えば、ネット上でいかに多く、いかに長くユーザーの注目を集めるか、注目を〈数値化〉し、その数値の高低でオンライン上の参加者の存在価値を判定するものだ。いま、「数字の専制」とも言えるこの仕組みが、表現や言論の世界から複数性を奪い、思想の画一化へと圧力をかけている。まずはそこに関連する仕組みを概観し、アテンション・エコノミーの作動様式を考えてみたい。

プラットフォーム

すでに馴染み深い言葉となっている「プラットフォーム」。グローバルな大手では、Facebook、Twitter、YouTube、Amazonなどがあり、世界中を席巻している。ちなみに、

2021年の各社の年間売り上げは、Google 2576億ドル、Amazon 4698億ドル、Facebook 1179億ドル、Apple 3658億ドルで、これは「日本のメディア大手」であるNHKの連結決算7508億円（2022年12月のレートで約54億ドル、2021年）や読売新聞の3060億円（約22億ドル、2020年）などをはるかに超える。[*8]

2010年代の初めまでは、プラットフォームはすべての人に開かれており、なんでも掲載できる、いわば公共的な市民の広場だと大きな希望とともに迎えられていた。その当時、プラットフォーム自体は価値判断をしない「ニュートラル」な「場」にすぎないという主張が繰り返されてきたし、私もそう信じて、プラットフォームの規制には反対だった。しかし、近年、この説明は苦しくなっている。プラットフォーム運営者は、価値判断をしないどころか、広告収入の最大化を図るために、なるべく多くの人の注目を集め、訪問者が長く留まってくれるコンテンツがもっとも優れたものだという「価値判断」を下し、それらを優先的にタイムライン等に表示するという優遇策を講じていることがわかってきた。結局のところ、プラットフォームがニュートラルだというのは神話に過ぎなかったわけだが、その神話を利用して、カネ儲けのために注目を集めるデマ、偽情報、ハラスメントなど、内容や質の悪い情報が上位に掲載されることを許した。

このようなプラットフォーム事業者の放縦が許されてきた状況は次のように説明されてい

る。すなわち、ネット事業が発展の途上にあった90年代初頭、当時のクリントン大統領の下で米国政府は「インフォメーション・スーパーハイウェイ」といった言葉とともにネット事業を強力に推し進めた。その後、米国政府は、ユーザーの投稿したコンテンツに責任を負う必要がないという特権をオンライン事業者に与える通信品位法230条という法律も成立させ、自由化をさらに推し進めて産業を優遇した（1996年）。テック企業はそれをいいことに、コンテンツの内容や社会的影響を無視し、ひたすら規模の拡大に邁進した。[*9] この戦略を技術的に突き詰めたところに、注目を集める刺激的なコンテンツを個人のタイムラインに優先的に表示し、ユーザーを長く滞留させる「アルゴリズム」の開発と事業化がある（後述）。プラットフォーム上に参加する営利企業は、まさに総出でいかに注目度を最大化するかという「アテンション・エコノミー」のプレーヤーとなっていったのだった。

また、プラットフォームは、先に述べたとおり、異なる他者との出会いの広場という当初の期待を裏切った。再びアラルによると、ソーシャルメディア上では、アルゴリズムの開発が進み、人種、民族、政治的イデオロギー、考え方、行動、嗜好などが似通った人たちが友だちになりやすい仕組みが作られて、似た者同士が閉じた空間に集う「フィルターバブル」や「エコーチェンバー」現象が経済的に利用されるようになった。つまり、「デジタル・ソーシャル・ネットワークの人間関係は、一般の人間関係よりも均質になりやすい」（『デマの影響力』）傾向をテクノ資本主義は利用しているわけだ。とりわけ、友だち推薦のアルゴリズムがついているソーシャルメディア・ネットワークでは、参加者の均質性がより高くなるという。こうしたグループの均質性がものの見方を狭め、前述したようなフェイクニュースの広がりも加速させる原因となったという。

マイクロ・ターゲティング

アラルによると、マイクロ・ターゲティングは従来のマーケティングとは異なり「『何か』のターゲティングの対象になると、対象となった人は、その『何か』に関する自己認識を変え、そのせいで『何か』に反応しやすくなる」という。この説明になぞらえると、たとえば、私は50代の女性で、友人の勧める美容食品の広告がタイムラインに出た際にそれをクリックしてちらっと見てみたとする。すると、その後、ソーシャルメディアのタイムラインにダイエットに関するターゲット広告が次々と現れるようになり、私はそれを見て自分はダイエットを必要とする人だと自認するようになり、さらにその自己認識に合う行動をとろうとする。その結果、ダイエットに敏感になり、健康食品を買ったり、フィットネスクラブに入会したりという行動を起こす。つまり、マイクロ・ターゲティングは人間の心にメッセージを送り、その後はあたかも自らが主体的に決断したかのように一連の行動を促す。これは商品のマーケティングや宣伝だけでなく、政治意見形成や選挙の投票行動などの操作にも使われている。マイクロ・ターゲティングを可能にするのが、社会的な属性（ジェンダーや年齢、居住地など）と、オンライン上の個人の過去の行動や閲覧履歴、購買データなど、いわゆる「ビッグデータ」を使って行動予測するアルゴリズム事業だ。再びアラルによると、アメリカだけですでに200億ドル規模の産業になっているという（前掲書）。ただし、この仕組みや有効性はすべて秘密だ。

米国のテック関連ニュースを中心に伝えるウェブサイト「Axios」によると、アルゴリズムの精度でとくに有名なのは、前節で言及した、若者に人気の動画プラットフォーム、「TikTok」である。「TikTok」の場合、ユーザーが初めて開くと、異なるトレンド、音楽、トピックを取り上げた8本の人気動画が表示される。その後、ユーザーがどの動画に興味を持ち、何をしたかに基づいて、アルゴリズムを通して新しい8本の動画が繰り返し提供され続け、ユーザーが興味を持った動画が特定される。また、「おすすめ」の提案には、ユーザーの言語設定、国設定、デバイスタイプなども考慮されるという。こうして、「TikTok」側はユーザーに関する十分なデータを収集し、そのデータをもとにアプリがユーザーの嗜好を類似ユーザー群の中にマッピングし、グループ化する。同時に、ポスティングされた動画も、類似したテーマに基づいてグループ化される。ここから、機械学習を用いてユーザーたちとユーザーが好む動画コンテンツを引き合わせていき、ユーザーを飽きさせる冗長性や重複を極力回避しながら、なるべくバラエティに富んだコンテンツを提供し続けていくという。[*10]

アルゴリズムを利用した「客寄せ」の背景には、プラットフォームが、サイトでのユーザーの訪問数が増えれば増えるほど、そしてユーザーがそれを熱心に利用すればするほど（滞在時間が長く、とくに「いいね！」を押したり書き込みをしたりする行動を起こすこと）、儲かる仕組みを発達させてきたことがある。同じような興味関心をもつユーザーをなるべく多く集めて、なるべく長く滞留させる――いまや企業の市場価値は、ネット上のユーザー数の増加速度と消費者のエンゲージメント（滞在時間）の強さだとも言われている（前掲書）。つまり、何人のユーザーにどれだけ熱心に見られたかによって、企業の価値が決まるのである。これがいま、アテンション・エコノミーが駆動するテクノ資本主義の戦略の真髄となった。

やめられない理由――「中毒症状」

ネット上では、いかに人々の注目を引いて訪問者をサイトに誘導し、その上で彼や彼女の滞在時間をどこまで引き延ばせるかに関心が集中する。となると、さきほど挙げた研究結果にもあるとおり、まずは誇張や意外性、あるいはいわゆる「フェイクニュース」やネガティブな感情で「客寄せ」をすることになる。これが「アテンション・エコノミー」の最初の罠で、テクノ資本主義の論理では、ネット表現空間はフェイクやヒステリックな情報があったほうが〈良い〉のである。そこからさらに社会の分断を煽ったり、対立を助長したりすることも、注目を集めるわけだから、アテンション・エコノミーからすれば、〈良い〉ことになる。

アテンション・エコノミーはまた、人間の注目を集め、滞在時間を延ばすだけでなく、何度も同じプラットフォームに戻ってこさせる「中毒症状」という二つ目の罠を仕掛ける。人間の注意力が金魚より短くなったことを嘆いていたパティノは、人をサイトに誘導する仕掛けを、カジノのスロットマシーンの「中毒」に近いものだと説明している。

たとえば、近年流行しているマッチングアプリは、20代を中心にデートの相手を探す人気のプラットフォームとして[*11]、このスロットマシーンになぞらえられる。その中でも人差し指で「スワイプ」してプロフィールを見て「親しくなりたい」と思う人を選別する「ティンダー」では、さまざまなプロフィールの紹介を司るアルゴリズムが仕組まれており、利用者がこのアプリケーションを利用すればするほど、好みを正確に予測するように設計することができる。しかし、「ティンダー」のアルゴリズムはそうはなっていないとパティノは説明する。パティノによると、そのような設計では、ランダム性が排除されて予測が確実になりすぎ、同じような人物がおすすめに出てきてしまって、アプリケーションへの依存を生み出せない。「ティンダー」の作戦は、なんとかユーザーの滞在時間を引き延ばそうとするために、利用者が魅力的と感じるだろう過去の選択に近い人物と、選択の履歴からかけ離れた人物とを任意に表示するのだという。つまり、利用者の中毒症状を維持するために、巧妙にランダムな結果を提示しているのだという。

こうして、プラットフォームには、利用者に対して、文字通り一喜一憂させる中毒症状を引き起こす仕掛けが埋め込まれていると説明している。しかも、カジノと違って、参加者に年齢制限はない（『スマホ・デトックスの時代』）。

このようなことは、マッチングアプリに限らない。他のソーシャルメディアにおいても、タイムラインには、日常的おしゃべりの合間に、「偶然に」表示される有名人の滑稽な写真、フェイクニュース、極端な思想、ヒステリックな討論、誹謗中傷など、感情を揺さぶられやすい、つまり中毒症状を引き起こしやすい情報が仕組まれる。パティノの言葉を借りるならば、アテンション・エコノミーは「情報と民主主義の面で疲弊した社会をつくり出し、デジタル信号によって哲学的な考察を封印」（前掲書）するのだ。

ジェンダーをめぐる複数性の危機

アテンション・エコノミーの説明が長くなってしまったが、これをジェンダーの観点から見ていきたい。アテンション・エコノミーは、どれだけたくさんの注目を、しかも長い時間集められ、何人の「常連」を確保できるかという、言ってみれば「数の専制」であるから、犠牲になり抑圧されるのは、声を上げにくいマイノリティたちであろうことは容易に想像がつく。海外からのニュースでは、とりわけこの弊害が指摘されており、女性、なかでも若い女性を追い詰めていることを問題にしている。たとえば、次のような懸念すべき例が報告されている。

Facebookの内部告発

アテンション・エコノミーを追求するあまり、人間に危害を加えていると批判された実態が忘れられている事件として、もっとも記憶に新しいのは、2021年9月のFacebook（現在Meta）の元社員フランシス・ホーゲン氏による内部告発だ。彼女は、Facebookの大量の内部資料を米議会、さらにはその一部を州検事総長やアメリカ証券取引委員会

（SEC）へリークし、その情報を2021年10月に米「ウォールストリート・ジャーナル」などメディアにも提供した。

報道によると、Facebook（Meta）はアルゴリズムによってユーザーに怒りや悲しみなどを誘発させる扇動的なコンテンツを提示することによって、必然的にエンゲージメントを長くする仕組みをつくっていたとされる。このニュースは日本でも幅広く報道されたが、経済ニュースとして取り上げられる傾向が強く、若年の女性たちが被害に遭っていることについてはあまり取り上げられなかった。しかし、米国では、この内部告発によってとりわけ問題視されたのは、同社の人気写真共有アプリ「Instagram」利用者の10代女性の3人に1人が、アプリを利用することによって自分の体の尊厳を傷つけられ、メンタルヘルスを悪化させており、中には自殺願望まで抱いていたということを同社が把握していたという事実だ。そして、それにもかかわらず、同社は13歳以下の子ども向けの「Instagram」の開発にも取り組んでいたということも明らかになった。ユーザーが若年層に偏っている「Instagram」の成功体験を、さらに生かしたかったからだとされている。ちなみに「ウォールストリート・ジャーナル」が入手した資料によると「Instagram」のユーザーの40％以上は22歳未満だそうだ。[*12]

アテンション・エコノミーは、誹謗中傷やフェイクニュースの蔓延の引き金となっているだけでなく、女性や女の子たちの「普遍的な」悩み——自分の体形や外見の罪悪感や自己嫌悪を利用しているという点で、ジェンダーの文脈から強く非難された。この事件をきっかけに、Facebookへの世論の眼差しは一層厳しいものとなっている。

デジタル美容文化

「Instagram」が若年層に人気だということを述べたが、近年、インスタ映えがエスカレートした「デジタル美容文化」も問題になっている。「MITテクノロジー・レビュー」によると、この「デジタル美容文化」が女性や女の子たちに対して不自然なほどに白く細く女性らしいといった、実現不可能な理想を押し付けているという。同誌では、

インスタグラムのようなAIレコメンド・アルゴリズムに依存する視覚的プラットフォームが、驚くほど速いスピードで美の基準の幅を狭めている（中略）。民族性があいまいで、完璧な肌を持ち、目や唇は大きく、鼻は小さく、顔の輪郭が完璧な曲線を描く「インスタ顔」は、一般に認められる1つの典型的な美の基準となっている。その多くの部分は、フィルターによって実現されるものだ。[*13]

同記事では、これらの美容プラットフォームで「顔フィルター」をすることが、特に若い女性の精神衛生に有害な影響があると指摘している。米国「ニューヨーカー」も、「Instagram」の人気と、その写真のための美容アプリの導入によって顔の美の基準が平準化されると同時に、女の子たちの「ルックス」はますます商業行為の資本と見なされ、新たな美容整形ブームが到来していると指摘している。[*14] 目下、エンゲージメント効果が高い「美容アプリ」は、何千人ものフィルター・クリエイターたちの手によって開発され、無料で提供されているという。その背後では、世界中の何百万人ものユーザーが毎日この機能を使うことによって大量のデータが蓄積され、さらに「性能の良い」アルゴリズムが日々開発されるというデータ・エコロジーが出来上がっている。「ニューヨーカー」によると、「Instagram」では危険性のある美容処置の奨励を禁止する規定を設けているそうだが、「危険性のある美容措置」自体の基準もあいまいで、世界中で美容アプリの人気は止むことはないだろうと言われている。

Facebook の若年層戦略も、デジタル美容文化の人気も、いずれも「やせ願望」や「白くて美しい肌」という、長く女性たちが目指すように仕向けられ、抱くように開拓された欲望を巧妙に利用したものだ。こうしていま、デジタル空間ではルッキズムの強化や画一的な

「女性らしさの強要」の再来が懸念されている。20世紀以降、女性や性的マイノリティたちが闘い、追い求めてきた人間の性の見方の多様性（男女二元論の否定）、人間の性的指向の多様性（異性愛の規範・標準化の否定）、そして社会的なジェンダーの見直し（男性らしさ／女性らしさの固定化の否定）といったジェンダーやセクシュアリティをめぐる豊かな複数性は、アテンション・エコノミーの下で疲弊し、やせ細り、力を失っていくのではないか。

アテンション・エコノミーは、注目の数が多ければ多いほど、そして滞留時間が長ければ長いほど「良い」という「価値観」をもつ世界を築き上げた。それは、「デジタル・トランスフォメーション」「起業」「ギグ・エコノミー」という21世紀の新奇性ある言葉にくるまれながらも、資本主義の原初的価値である「多数が勝者」という競争原理を、「注目」という資源に帰しながら先鋭的に復活させ、社会を勝者と敗者とに仕分けしながらネットのユーザーたちを終わりなき欲望と好奇心の世界に引きずり込む。また、数字が見えること、そして、数値を見せられることは、グローバル化し細分化して見通しのきかなくなった現代、ユーザーたちに「あなたたちは『多数派』の側ですよ」という安心感を与える。企業や政府の側も同様に、社会の全容が見えづらい状況で、多数決というわかりやすい仕組みで世論を味方につけられるアテンション・エコノミーの論理を歓迎し、すすんでそこから正当性を調達するのである。

日本の課題——問題意識、批判意識の欠如

アーレントによれば、「(理想の)人間的」人間社会たるゆえんは、それぞれが主体的にモノを考え、異なる他者に対してその考えを表現し、他者同士が相互の複数性を意識させる活動に求められるという。そのために複数の考えが交わる公共的領域の確保こそ、「人間的」社会には不可欠であり、この領域が確立することを通してはじめて自由で民主的な社会が実現するとも論じた。全体主義を嫌悪し、思考停止した人間の生き方を「凡庸な悪(banality of evil)」と呼んで指弾した彼女は、理想の人間社会をそのように定義したのである。

ところがいま、言論や表現の世界の中心となっているネットでは、他者を意識する人間の活動は、いつのまにか薄暗がりの匿名性によって感情的、攻撃的な非合理性に席巻されてしまうか、あるいはその非合理性を恐れて、むしろ表現活動を抑制せざるを得ない状況が次々と報告されている。つい最近も、「週刊金曜日」では「誰が私を拡散したのか」という調査報道シリーズが始まり、そこでは知らぬ間に自分の写真と動画がスマホのアプリを通じて「性的商品」として取引されていたという、被害者たちの証言が特集されていた。警察に相談しても解決にはつながらず、届け出のある被害は氷山の一角だと言われている(「週刊金

曜日」11月25日号)。こうした例に見られるとおり、残念ながら、「薄暗がり」の空間が広がることによって、ネットは女性やマイノリティにとって危険な場所となっている。

子どもの権利のための活動に取り組む国際NGO「プラン・インターナショナル」は、15歳から25歳の若年女性の58%がオンライン・ハラスメントを経験しているという調査結果を発表している。[*15] また、ハラスメントを受けた若年女性の24%が身体的不安を持ち、42%は自尊心または自信を失い、42%は精神的または感情的にストレスを感じ、18%は学校で問題を抱えている。さらに、女の子の50%は、ストリート・ハラスメント(痴漢など公共の場におけるハラスメント)よりもオンライン・ハラスメントをより受けているとも答えているという。オンライン空間が若い女性にとって居心地悪く、危険な場所になっていることがこうした数字からも見てとれるのである。

しかし他方で気になるのは、日本の状況である。プラン・インターナショナルでは、日本でも約500人の同年齢の若年女性を対象にした調査を実施した。それによると、SNSを利用していると回答した若年女性は93%にのぼったにもかかわらず、そのうち「オンライン・ハラスメントの被害に遭ったことがある」と答えたのは全体の4分の1に留まった。同団体では、この数字が日本で若年層の女性に対するオンライン・ハラスメントが少ないことを表しているというよりは、彼女たちの間に「オンライン・ハラスメント」という行為への認識が低いのではないかとの懸念を表明している。というのも、同調査で「オンライン・ハラスメントという言葉を聞いたことが一度もない」と回答した若年女性は40%に上っており、同団体は、意識の低さが、被害の理解や報告の件数にも影響を与えているのではないかと推測している。

政府主導で「デジタル・トランスフォメーション」という言葉が喧伝され、デジタル庁もスタートし、高校の学習指導要領にプログラミングなどを学ぶ「情報」科目が導入される動きがある中、日本ではデジタル情報化とジェンダー平等、あるいはデジタル情報化とマイノリティの権利についての議論はなかなか広がらない。これまで、日本の「情報化」は一部の男性エリートの手によって開発され、圧倒的に男性優位の環境で普及が進んだ。[*16] しかも、この傾向は将来に渡って続く可能性が高い。というのも、日本ではICTを含む理系分野(STEM)の女性の大学入学者の割合は17%と、OECD平均の38%を大幅に下回り、最下位という状況だ。[*17] また、別の調査によると、日本はテクノロジーの社会的利用に関して楽観的な国でもあることも目立つ。2021年に行われた米国のシンクタンク、ピュー・リサーチ・センターの調査によれば、ロボットやAIなど、最新のテクノロジーに関して、シンガポール、韓国、台湾、日本では、60%以上の回答者が「社会にとって良いことだ」とし、日本はとくにロボットが社会にとって良い技術であるとする割合が68%で20か国中最高だった。これに対し、米国、カナダ、西ヨーロッパの多くの国では、このようにテクノロジーに肯定的な見方をする回答者は半数以下がほとんどで、フランスは、AIとロボティクスに対して全体的に最も否定的な意見を持っており、技術が社会にとって良いものであると考える人は40%未満だった。[*18] 日本では、テクノロジーとは発展のシンボルであり、国や大企業などの「権威」から生み出されるものだという安心感が強い。そのせいか、テクノロジーの社会的含意や帰結について無批判な状態にあると言わざるを得ない。

その一方で、デジタル情報化は、とりわけどこでも持ち運びができるスマホをとおして、完全に私たちの生活の中の一部となった。それはエンジニアのものでも、政治家のものでも、そしてテック企業のものでもなく、私たち自身が日常生活で利用するものだ。スマホが私たちの身体の延長になりつつある今、利用を良き生活のためにどう役立てていくのかについて、主体的に考えていく必要がある。

本章で見たとおり、アテンション・エコノミーは数値化によって競争原理を強化し、市場の勝者と敗者を振り分け社会の分断を進めてマイノリティを抑圧する威力をもっていることが懸念されている。アーレントの言う「人間」が「人間性」を実感する条件としての「複数性」を尊び、公共的領域の活動をサポートするには、まずはデジタル空間において、いま、実際に誰によって何が行われているのかについて仕組みを学ぶ必要がある。「罠」のカラクり、そして問題の仕組みを学べば、対策も立てられるというものだ。批判的な情報リテラシー、そしてデジタル・リテラシー学習の効果的な開発、実践、そして普及がいま、問われている。

【注】

＊1　'You Now Have a Shorter Attention Span Than a Goldfish' Time (https://time.com/3858309/attention-spans-goldfish/)

＊2　「ＢＰＯ放送人権委員会　放送人権委員会　委員会決定２０２０年度第76号――リアリティ番組出演者遺族からの申立て」の「見解」より、２０２１年３月30日（https://www.bpo.gr.jp/?p=10741）

＊3　Vosoughi, S., et al. 'The spread of true and false news online' Science (https://www.science.org/doi/10.1126/science.app9559)

＊4　Lazer, D. M. J., et al. 'The science of fake news' Science (https://www.science.org/doi/10.1126/science.aao2998)

＊5　Fan, R. et al. 'Anger Is More Influential than Joy: Sentiment Correlation in Weibo' PLOS ONE (https://click.endnote.com/viewer?doi=10.1371%2Fjournal.pone.0110184&token=WzIzOTgwMTIsIjEwLjEzNzEvam91cm5hbC5wb25lLjAxMTAxODQiXQ.97Y8MI0y-0ConxdObBu5gsI2AIg)

＊6 鳥海不二夫「COVID‐19下の情報拡散」第11回横幹連合コンファレンス 統計数理研究所、2020年(https://www.jstage.jst.go.jp/article/oukan/2020/0/2020_A-4-6/_pdf)。

＊7 「売却額3兆円といわれる「TikTok」が他のSNSと一線を画するその「仕組み」とは?」GIGAZINE (https://gigazine.net/news/20200911-tiktok-reveals-details-coveted-algorithm/)

＊8 Ang, Carmen 'How Do Big Tech Giants Make Their Billions?' VISUAL CAPITALIST (https://www.visualcapitalist.com/how-big-tech-makes-their-billions-2022/)

＊9 池田純一「かくして〈インターネット例外主義〉の時代の幕は開けた:『ネット企業はなぜ免責されるのか』池田純一書評」WIRED (https://wired.jp/2021/10/09/section230-ikeda-review/)

＊10 Fischer, Sara 'Inside TikTok's Killer algorithm' AXIOS (https://www.axios.com/2020/09/10/inside-tiktoks-killer-algorithm)

＊11 三菱UFJリサーチ&コンサルティングの2021年の調査によると、マッチングアプリの認知度は20代で68・2%、30代54・2%、40代33・5%。過去3年以内に利用したことがあると答えたのは、20代が28・9%、30代が16・6%、40代が6・8%で、若い世代ほど、認知度、利用度が高い。「資料1マッチングアプリの動向整理」(https://www.caa.go.jp/policies/policy/consumer_policy/meeting_materials/assets/internet_committee_220121_0002.pdf)

＊12 「インスタグラムが10代のメンタルに悪影響…フェイスブックは社内調査で把握していた」Business Insider Japan (https://www.businessinsider.jp/post-242464)

＊13 「みんなの大好きな「インスタ顔」はこうして作られる」MIT Technology Review (https://www.technologyreview.jp/s/283937/the-fight-for-instagram-face/)

＊14　'The Age of Instagram Face' The New Yorker (https://www.newyorker.com/culture/decade-in-review/the-age-of-instagram-face)

＊15　「女の子にオンライン上の自由を」――世界ガールズ・レポート２０２０、国際ＮＧＯプラン・インターナショナル (https://www.plan-international.jp/news/girl/20201005_24567/)

＊16　一般社団法人情報サービス産業協会による「２０２０年版情報サービス産業基本統計調査」によると、同協会会員企業で女性が全ＩＴエンジニアに占める割合は21％。同産業における管理職の女性割合は６％だった。「２０２０年版情報サービス産業基本統計調査」、情報サービス産業協会 (https://www.jisa.or.jp/Portals/0/report/basic2020.pdf)

＊17　「Education at a Glance 2022」OECD Indicators, Education at a Glance, OECD iLibrary (https://www.oecd.org/education/education-at-a-glance/)

＊18　「How public opinion shaps the success of technology」Tech Monitor (https://techmonitor.ai/technology/ai-and-automation/public-opinion-ai)

【参考文献】

アラル、シナン『デマの影響力――なぜデマは真実よりも速く、広く、力強く伝わるのか？』（夏目大訳、ダイヤモンド社、２０２２年）
アーレント、ハンナ『全体主義の起原（新版）』（大久保和郎・大島通義・大島かおり訳、みすず書房、２０１７年）
アーレント、ハンナ『人間の条件』（志水速雄訳、ちくま学芸文庫、１９９４年）
アーレント、ハンナ『エルサレムのアイヒマン――悪の陳腐さについての報告（新版）』（大久保和

郎訳、みすず書房、2017年）
カルドン、ドミニク『インターネット・デモクラシー――拡大する公共空間と代議制のゆくえ』（林昌宏・林香里訳、トランスビュー、2012年）
「誰が私を拡散したのか　知らぬ間に自分の写真と動画が「性的商品」に」『週刊金曜日』（2022年11月25日号）
パティノ、ブリュノ『スマホ・デトックスの時代――「金魚」をすくうデジタル文明論』（林昌宏訳、白水社、2022年）

あとがき

浜田敬子

ここ数年世界的にも高まってきた#MeToo運動の波は日本にも及び、日本のジェンダー後進国ぶりを報じる記事や番組も年を追うごとに増えてはいる。しかし、それを報じる私たちメディアの足元の働く環境や組織全体のジェンダー意識の改善はなかなか進まず、報じる内容も今の人権やジェンダーの意識に合わせてアップデートされていない――MeDi（メディア表現とダイバーシティを抜本的に検討する会）は、そんな問題意識を抱えていたメンバーが集まって2017年に結成された。

これまで年に数回、メディア表現や働き方に関する公開シンポジウムやオンラインセミナーを開いてきたが、ここ1、2年はコロナ禍ということもあり、メディアで働く実務者を中心に、選挙報道や五輪報道におけるジェンダー問題や性暴力報道における課題について議論を重ねてきた。具体的な取材や表現方法の何に悩み、どう改善していけばいいのか。現場で試行錯誤している記者やディレクター同士が対話することで、メディアの枠を超えたネットワークも出来つつある。

この本、『いいね！ボタンを押す前に――ジェンダーから見るネット空間とメディア』はMeDiとして2冊目の著書になる。1冊目の『足をどかしてくれませんか。――メディアは女たちの声を届けているか』では、MeDiの各メンバーが持ち続けてきた問題意識をまとめた。

一方で当時から私たちの中にはこんな思いもあった。もはやこのSNS時代に発信者はメディアにかかわる人に限らないのでは？　フェイクニュースも陰謀論も特定の人に対する誹謗中傷も、匿名性の陰に隠れた「普通」の人たちが軽い気持ちで「いいね！」を押すことで深刻化している。メディアの中だけで議論をしていては、情報空間は健全にならない――。今回の本は、メディア以上に力を持ったプラットフォームという新しい表現空間をどう捉えるかという問題意識から出発した。

出版実務は田中東子、治部れんげ、浜田敬子が中心となったが、各章ごとに執筆者以外にも担当者を置き、グループで議論を重ねた。そのプロセスを経たからこそ、より多面的な視点から各テーマを描くことが可能になったと思う。個人的にはこの議論の過程が非常に楽しく、仲間と一緒に作り上げる喜びを感じることができた。

編集者の亜紀書房の足立恵美さんには1冊目に続き、大変お世話になった。すぐにテーマに共感し、「出しましょう」と決断してくださったこと。本業の忙しさだけでなく、表現の自由や知る権利、公共性とは何かというテーマの難易度ゆえになかなか筆が進まない筆者たちに対して粘り強く励ましてくださったことに改めて感謝を申し上げます。

12月20日

著者について

李美淑（東京大学大学院情報学環准教授）

小島慶子（エッセイスト、東京大学大学院情報学環客員研究員）

治部れんげ（東京工業大学リベラルアーツ研究教育院准教授）

白河桃子（相模女子大学大学院特任教授、
昭和女子大学客員教授、ジャーナリスト、作家）

田中東子（東京大学大学院情報学環教授）

浜田敬子（ジャーナリスト）

林香里（東京大学大学院情報学環教授）

山本恵子（NHK名古屋放送局コンテンツセンター副部長、
NHK解説委員〈ジェンダー・男女共同参画担当〉）

＊

君塚直隆（関東学院大学国際文化学部教授）

山口真一（国際大学グローバル・コミュニケーション・センター准教授）

石川あさみ（脚本家）

本書は、東京大学とソフトバンクによるBeyond AI連携事業の一環である
Beyond AI研究推進機構の支援を受けて刊行できた。

いいね！ボタンを押《お》す前《まえ》に
—ジェンダーから見《み》るネット空間《くうかん》とメディア

著　者　治部れんげ、田中東子、浜田敬子ほか

2023年2月1日　第1版第1刷発行

発行者　株式会社亜紀書房
〒101-0051
東京都千代田区神田神保町1-32
電話(03)5280-0261
振替00100-9-144037
https://www.akishobo.com

装　丁　　鈴木千佳子
DTP　　山口良二
印刷・製本　株式会社トライ　https://www.try-sky.com

Printed in Japan　ISBN978-4-7505-1781-0　C0030

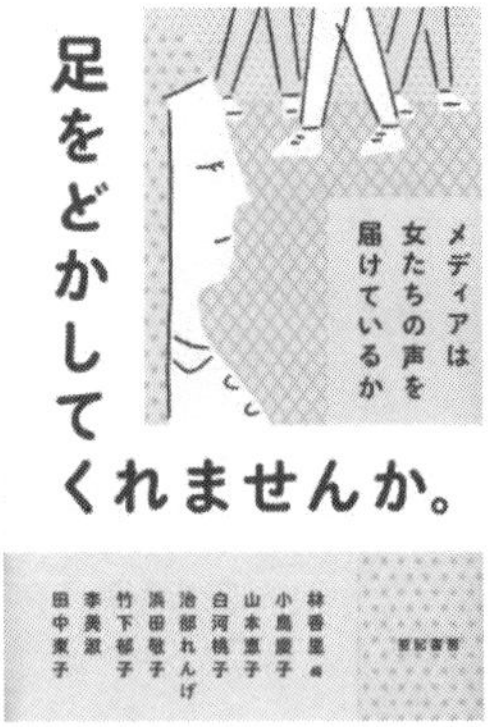
足をどかしてくれませんか。
メディアは女たちの声を届けているか
林香里 編
小島慶子
山本恵子
白河桃子
治部れんげ
浜田敬子
竹下郁子
李美淑
田中東子